[英国] 柯南·道尔 著
喵博士 改编

大侦探福尔摩斯

SHERLOCK HOLMES

译林出版社

人物档案

华生

华生——医生，伦敦大学医学博士，福尔摩斯的最佳拍档。他用心记录下福尔摩斯精彩的破案过程，并公之于世。

福尔摩斯

福尔摩斯——闻名世界的大侦探，居住在英国伦敦的贝克街221B。他善于通过观察和推理来寻找事件的真相，破案时有如神助，总是能洞察一切。

道格拉斯先生 道格拉斯夫人

道格拉斯先生(左)——本案的被害人，伯尔斯通庄园的男主人。他为人豪爽亲切，却在深夜被人用一把火枪杀害，尸体面目全非。

道格拉斯夫人(右)——道格拉斯先生的夫人，一位美丽腼腆的年轻女士。

巴克先生 麦金蒂 鲍德温

巴克先生(左)——道格拉斯先生的好朋友，也是本案的报案人。他和道格拉斯夫人交情很深。

麦金蒂(中)——维尔米萨地区的黑帮头领。他阴沉狡诈，在当地犯下了累累罪行。

鲍德温(右)——麦金蒂的心腹，性格凶狠残暴。

导 言

伯尔斯通庄园的男主人被人谋害，手上的结婚戒指不翼而飞。

令人惊讶的是，一直恩爱的妻子并未显得非常悲伤。而窗台上出现的血脚印，竟然是有人故意留下的。

难道是妻子和别人联合起来谋害了庄园的男主人吗？还是另有隐情？

福尔摩斯穿透迷雾，追溯一段二十年前的往事，这段往事还牵涉到一个恶魔聚集的恐怖山谷……

目 录

SHERLOCK HOLMES

SHERLOCK HOLMES

神秘的来信

“奇怪，真是奇怪！”这天早上，福尔摩斯一只手里拿着**一封信**，另一只手不停敲打着餐桌的桌面。华生凑上去一看，信里只有一连串杂乱的数字和字母，看不出任何规律：

534 13 127 36 31 4 17 21 41

Douglas 109 293 5 37 Birlstone

26 Birlstone 9 47 171

福尔摩斯**若有所思**地说：“看笔迹，这封信是波尔洛克寄来的。肯定是有什么重要的事情，不然他不会贸然跟我联系。”

“嗯？波尔洛克是谁？我从来没听你提起过这个人！”华

生好奇地问道。

“嘿，波尔洛克不过是一个假名字。他是个**诡计多端**的滑头，不过，他的老大更可怕，简直就是个怪物。他要是伸出利爪，哼哼，那连我都很难招架。”

华生不禁打了个寒战。他问道：“那个怪物又是谁？”

福尔摩斯盯着华生的眼睛，一字一句地说：“你听说过莫里亚蒂教授吗？”

“莫里亚蒂教授？哦，是他？那个手段高超的罪犯！得赶紧把他抓起来，监狱才是他的家！”

“别大声嚷嚷，医生。”福尔摩斯耸了耸肩说，“你说他是罪犯，可你有证据吗？就凭你刚才的这句话，他完全可以告你诽谤，让你惹上官司！没错，这正是他的厉害之处。他是古往今来最大的**阴谋家**，策划过无数**令人发指**的罪行。这么说吧，他干的那些坏事，甚至会影响整个国家的安全。这颗毒瘤当然应该早日被切除。他早该被关进监狱了。可问题是，他伪装得太好了。在普通人的眼里，他是一位**彬彬有礼**的绅士，是**博学多才**

的教授、学者，还在学术界做出过不少成绩。而且，这个人谨慎小心，做事**滴水不漏**。所以，根本没有人会把他和一个坏事做尽的大魔头联系在一起。不得不说，他还真是个天才。”

“可恶！那就没有办法对付这个大坏蛋吗？”

福尔摩斯脸上露出了得意的笑容，说道：“他的这个手下波尔洛克，就是重要的**突破口**。实话告诉你吧，他已经被我收买了，有时会偷偷给我传递情报。哼，我一定会找到证据，把莫里亚蒂教授送进监狱！”福尔摩斯扬了扬手里的信。

华生困惑地问：“可是，信里那些符号是什么意思啊？我一个字也看不懂。”福尔摩斯目光炯炯有神，他解释道：“这是一封**密码信**。我应该很快就会收到波尔洛克的下一封信，提示我破译密码的线索。呵呵，他不会傻到把秘密情报和破译的方法，放在同一封信里。”

正说着，仆人来敲门了：“先生，有您的信！”

福尔摩斯开门接过信，得意地说：“医生，你瞧，这不是来了吗？”他**迫不及待**地把信拆开。看着看着，脸上的笑容消失了。

“怎么了？出什么事了？”华生紧张地站了起来。

“糟透了！糟透了！”福尔摩斯烦躁地在屋里走来走去。“老天保佑，希望波尔洛克别出事！千万别出事！”福尔摩斯说。

华生抢过信一看，上面这样写着：

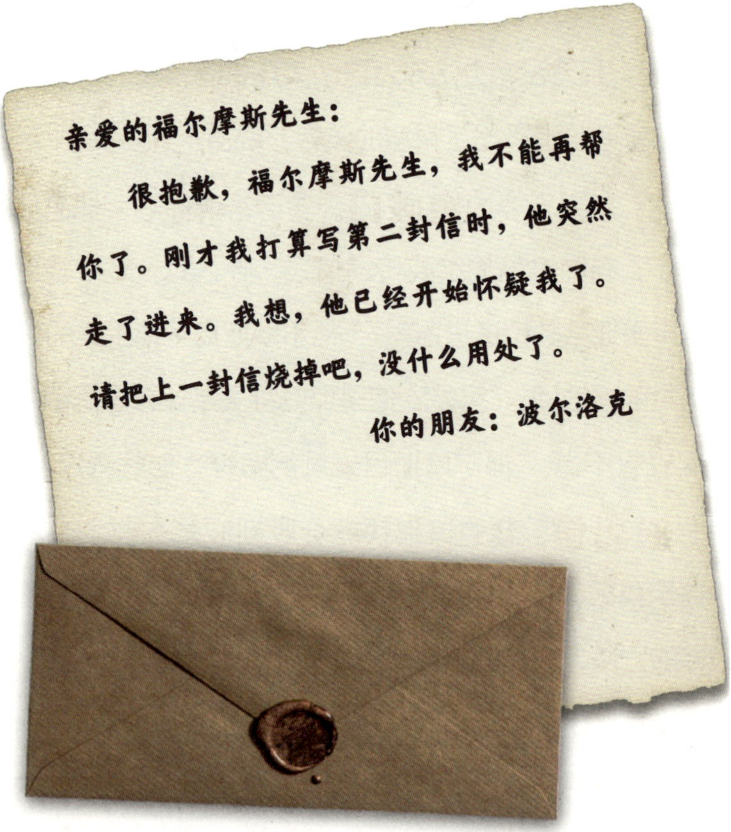

亲爱的福尔摩斯先生：

很抱歉，福尔摩斯先生，我不能再帮你了。刚才我打算写第二封信时，他突然走了进来。我想，他已经开始怀疑我了。请把上一封信烧掉吧，没什么用处了。

你的朋友：波尔洛克

福尔摩斯在沙发上坐了下来，一言不发，只是紧盯着面前的壁炉。突然，他抓起搁在桌上的第一封信，眯着眼睛又看了许久，猛地坐直身体，说：“既然波尔洛克没告诉我们破译密码的方法，那就只能靠我们自己了！”

华生惊讶地抬起头，问：“你有办法了？”

“你看，这封信的开头是数字 534，后面跟着 13，这也许……代表某一本书第 534 页的第 13 个词。找到这个词，就破译了第一个密码。”

华生疑惑不解地问：“你是说，这封信里表达的意思，**藏在某本书**里？信里标出了每个字对应的页码、位置，只要我们知道是哪本书，就可以破译这封密码信了？”

福尔摩斯点点头，说：“没错。很多密码信都是这么编的。”

“可是，我们怎么知道他用的是哪本书呢？”

福尔摩斯用一只手支着下巴。他看了华生一眼，意味深长地说：“动动脑子，找到那本书也许没那么难！”

破译密码

华生一脸迷惑。福尔摩斯微笑着说：“至少我们知道，这是一本**很厚的书**，超过 534 页。”

“这么厚的书……并不少见啊！这也算是条线索吗？”

“医生，你瞧，他并没有打算寄一本密码书给我。这说明什么？他认为我手里肯定已经有这本书了。”

华生一拍大腿，说：“哎呀，那也许是一本很常见的书，人人手里都有的那种！难道是……字典？”

福尔摩斯摇了摇头，说：“不！字典的版本太多了。如果我和波尔洛克用的是不同版本的字典，那么对应的页码、位置可能不一样，这样就没法破译密码了。”

华生走到书架前，这边看看，那边瞧瞧。突然，他快速抽出其中一本，两眼发光地冲着福尔摩斯喊：“快看，**年鉴**！用来记录重大事件的年鉴！”福尔摩斯快步走上前去，接过书哗啦啦地翻了起来，一边看一边赞叹道：“年鉴，年鉴！太好了，医生！很可能就是它。这本年鉴非常厚，几乎人人都有，而且市面上常用的**只有一个版本**！噢，这真是传递密码的好工具啊！”

福尔摩斯快速把年鉴翻到第 534 页，嘴里念叨着：“这一页第 13 个词是什么呢？找到了，‘马拉塔’。嗯？这是什么意思？第 127 个词……嗯，是‘政府’。呃……不对劲，不对劲！让我看看下一个词……‘猪毛’！”福尔摩斯把年鉴啪地往桌上重重地一拍，沮丧地坐回到椅子上。“噢，这都是

什么啊？华生，看来我们失败了……”

华生坐在一旁，郁闷地琢磨着：“不是这本年鉴吗？那会是别的什么书呢？”

突然，福尔摩斯大喊一声，**如梦初醒**般奔向书架，飞快地抽出了一本黄色封面的书。

“哈哈哈，我知道问题出在哪里了。”他兴奋地叫喊道，脸上洋溢着胜利的喜悦，“我们刚才拿的那本年鉴是刚买的，太新了，和常见的**旧版本**不太一样。波尔洛克用的应该是这个版本！”

他迫不及待地翻开手里这本年鉴，说：“现在让我们看看。”他对照着密码信上写的页码、位置，在年鉴里一一寻找对应的词。华生则迅速拿出笔和纸，一字不漏地记了下来。“有意思，有意思……”福尔摩斯兴奋地说道。

两人脸上露出了狂喜的神色，但很快又变得阴云密布，因为所有词连起来是这么一句话：“危险即将降临到道格拉斯身上，他住在伯尔斯通庄园，**十万火急**。”

咚咚咚！就在这时，门口又传来了敲门声。华生打开门一看，发现仆人领着一个身材高大的年轻人上楼来了。

“哦，麦克唐纳警探！有什么新案子吗？”福尔摩斯和颜悦色地跟他打了声招呼。在伦敦众多的警探里，麦克唐纳是他非常欣赏的一位。这位警探体格健壮，体力过人；那双炯炯有神的眼睛，在两道浓眉下闪烁着智慧的光芒。

“可不是嘛！又有一个**棘手的案子**。我一会儿就要赶去现场。嗯？”说到一半，麦克唐纳警探突然顿住了。他张大了嘴巴，眼睛一眨不眨地盯着桌面上的那张纸，就是华生刚才做记录用的纸。“道……道格拉斯？伯……伯尔斯通？天哪，福尔摩斯，难道你有超能力，可以预知未来？”他**结结巴巴**地说。

可预知未来的密码信

福尔摩斯扬了扬眉毛，说："这是我们刚刚破译的密码信。怎么，出事了？"

麦克唐纳警探定了定神，压低嗓门说："今天凌晨，道格拉斯先生被人杀害了，就在他住的伯尔斯通庄园。"

华生惊讶地跳了起来："什……什么？这个道格拉斯……死了？"

福尔摩斯沉默了一会儿，说："没想到这么快就出事了！"他把密码信的事情解释了一番，这位机智的警探立刻有了主意："信是那个叫波尔洛克的人寄来的？我们找到他问清楚，不就真相大白了？"

福尔摩斯摊开手，无奈地说："波尔洛克是个假名字，想找到他并不容易。而且，我答应过他，不会调查他的行踪，我不想当一个言而无信的人。"

麦克唐纳警探忍不住好奇地问："你觉得，他背后有什么人吗？”

福尔摩斯**不露声色**地点点头，说：“嗯，当然。”

“就是你曾经提到过的……莫里亚蒂教授？可是，我以前见过他，他看起来是一位**和蔼可亲**的学者啊，知识渊博，让人敬佩！”

福尔摩斯大笑着说道：“哈哈哈，**好极了**！我们的警探先生欣赏起这位天才了！你知道他多有钱吗？”

麦克唐纳警探疑惑不解地看着福尔摩斯，回答道：“他是一位教授，嗯，年薪大概几百英镑吧。”

福尔摩斯耸了耸肩，说：“作为教授，他的年薪确实是七百英镑。不过呢，据我所知，他曾经高薪聘请过非常能干的莫兰上校给他干活。你猜，莫里亚蒂教授付了多少钱给莫兰上校？”

麦克唐纳警探茫然地摇了摇头。

福尔摩斯伸出手比画了一下，说：“每年六千英镑！你想想看，这位莫里亚蒂教授得多有钱？他的钱是从哪里来的？”

“你是说，他掌握着一个庞大的**犯罪团伙**，靠着犯罪活动来获得大量的非法收入？那么，道格拉斯的这个案子，也跟他有牵连吗？”

“现在还不能下定论。”

麦克唐纳警探看了看表，突然从椅子上弹了起来，说：“哎呀，这么晚了！我们得马上去伯尔斯通庄园走一趟！走，现在就出发吧！”

几分钟后，三个人出发前往伯尔斯通庄园。

中午十二点，当地的梅森警探在火车站迎接他们。就是他邀请麦克唐纳警探和福尔摩斯一起前来**协助破案**的。

这位乡镇警探看起来文文静静的，脸色红润，身材微胖，穿着一件宽大的花呢外套，脚蹬一双长筒靴，显得十分精神。福尔摩斯还以为来了一位庄稼汉，或者是一位猎场的看守人呢。总之，他看着像任何人，就是不像一名警探。

梅森警探一看到他们，就激动地迎上前来，说：“总算见到你们了！福尔摩斯先生，这个案子只有你能办得了！”他领着来人住进了庄园附近的旅馆里，接着便迫不及待地说起了案情。

案发的伯尔斯通庄园是一座古老的庄园，就像一位上了年纪的孤僻老人，人们几乎要忘了它的岁数。庄园四周环绕着一条长长的河流，是古时候的护城河。要想进入庄园，就得通过一座吊桥。吊桥每天早晨放下去，晚上又吊起来。因此，晚上的庄园就像一座**孤岛**，外面的人进不来，里面的人也出不去。

庄园的主人叫道格拉斯，是从美国搬到这里来的，很有钱。他五十岁左右，人瘦瘦高高的，很结实，长着一个方下巴，面容粗犷，留着一撮灰白的小胡子，灰色的眼睛炯炯有神。平时他总是笑眯眯的，待人慷慨大方，又喜欢唱歌，有一副好嗓子，所以村里人都愿意跟这个异乡人做朋友。

他的夫人比他年轻二十岁左右。他们是在英国认识的。夫人长得很漂亮，身材高挑，肤色较深，性格十分腼腆。多数时间她都待在家里照顾丈夫，打理家务。

就在前一天半夜，这位可敬的道格拉斯先生在自家庄园的书房里**出事了**！

一把火枪射中了他的脑袋。他倒在地上，**面目全非**，那张脸都叫人认不出来了。

案发时，受害者的朋友巴克先生也住在庄园里。他比道

格拉斯先生年轻几岁，是个英国人，身材高大挺拔，膀大腰圆，眉毛又浓又黑，一双黑眼睛闪着机警的光芒。他也很富有，一直没有结婚。据说，两人是在美国认识的，关系好得像亲兄弟一样。

不过，他和道格拉斯夫人的关系似乎也很亲近，因此还惹得道格拉斯先生发过好几次脾气。

这次就是这位巴克先生报的案。

奇怪的现场

当地一名乡村警察火速赶到了现场。庄园里的仆人们都吓得瑟瑟发抖，脸上没有一丝血色。警察仔细检查一番后，叫来了巴克先生问话："事情大概是什么时间发生的？"

巴克先生的嘴唇不停地哆嗦："大……大概是在半夜十……十一点半吧，我当时正在烤火，突然听到砰的一声。我立马跑了过去，看见道格拉斯先生躺……躺在地上。他身边有一大摊血。"

"那你当时有没有看见什么可疑的人？"警察锐利的目光紧盯着巴克先生。

巴克先生仔细想了想，摇了摇头，说："没有。我一直待在这里，没见到什么可疑的人。那会儿我整个人都吓傻了。后……后来，我听见道格拉斯太太从楼上下来，我想着，绝不能让她看见这么**可怕的场面**，所以连忙冲出去拦住了她。"

警察指了指窗外的吊桥，问："我听说，你们晚上会把吊

桥吊起来？”

“对，每天傍晚都会吊起来。”巴克先生回答道。

“这就奇怪了，吊桥被吊起来以后，就没有出去的路了。那么凶手是从哪里跑出去的呢？道格拉斯先生总不可能是自杀的吧？”

巴克先生走到窗前，一把拉开窗帘，激动地指着木窗台说：“警官，您看看这里！”只见窗台上印着一个**带血的脚印**，而窗台下方就是那条静静流淌的**护城河**。整扇窗户完全敞开着。

“难道凶手是踩到窗台上，再跳到河里游出去的？可凶手是什么时候进入庄园的呢？”警察皱眉思索着，突然喊了一句，“管家先生，你来一下！昨天吊桥是什么时候吊起来的？”

管家**战战兢兢**地走了过来，嘴唇颤抖地回答道：“先……先生，是下午六点左右。昨天……道格拉斯夫人招待客人吃甜点，我等客人们全都离开了，才……才把吊桥收起来的。”

警察敏锐地查看着屋里的各个角落。突然，他拉开窗帘，指着墙角的地面叫道：“这里也有个**脚印**！是长筒靴的脚印！嗯，很显然，凶手一定是在吊桥收起来之前先溜进庄园躲在这里，半夜再找时机下手的。”

他在屋里踱来踱去，没一会儿又发出了惊呼：“嗯？这是什么？”原来，在被害人旁边的地板上躺着一张**卡片**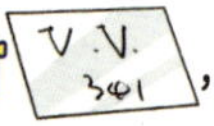

，上面用钢笔潦草地写着两个大写字母“V.V.”，下面还有一串数字“341”。

一旁的巴克先生也好奇地凑了上去，说：“我之前没注意到这个，一定是凶手留下来的。”

旁边的地毯上还有一把大号**铁锤**。警察纳闷地问：“这铁锤又是怎么回事？”

巴克先生连忙回答：“哦，昨天道格拉斯先生挂了一幅很大的油画，铁锤应该是钉钉子的时候拿来用的。”

这时，负责检查被害人尸体的医生说话了：“奇怪，他手臂上的这个标记是什么？”

大家低头看了过去，只见被害人的右胳膊露在睡袍外，上面有一个奇特的褐色**图案**：一个圆圈里面套着一个三角形。

医生紧盯着图案，说：“这不是文身，倒像是烙铁烙上去的。莫非……是什么身份的记号？”

管家和巴克先生都茫然地摇摇头，说他们以前见过这个

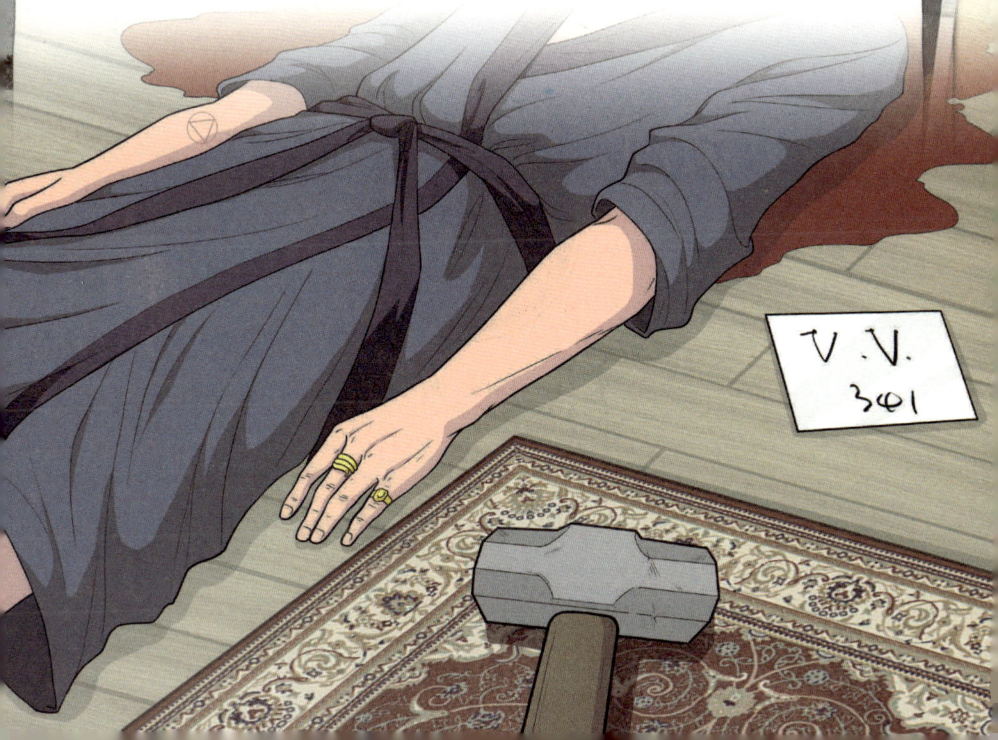

标记，但一直不知道是什么意思。

突然，管家指着被害人的手，尖叫道：“哦！先生的结婚戒指不见了！他左手的小指上总是戴着纯金的结婚戒指，上面再套一个大的金戒指。中指还戴着蛇形戒指。你们看，现在另外两个戒指都还在，唯独结婚戒指没了！”

“哦，天哪！情况越来越**复杂**了！”警察用拳头捶着自己的脑袋，显然已经打算放弃了，“还是把案子交给能干的梅森警探去办吧！让他去找伦敦方面的人来！”

警探之争

就这样，案子被交到了梅森警探手里，梅森警探又请来了苏格兰场的麦克唐纳警探和大名鼎鼎的福尔摩斯。

福尔摩斯的表情很特别，就像是一个人发现了一箱珍宝，却打不开宝箱的锁。他既兴奋又懊恼：“怎么会这样？这简直太奇怪了！”

“福尔摩斯先生，我对这案子有一些自己的看法，你要听听吗？”梅森警探恭恭敬敬地问道。

“你尽管说！”福尔摩斯急切地说。他的脸涨得通红，不知道是因为房子里的温度太高，还是因为心情太激动。

梅森警探拿出一张纸，画出铁锤的图案，说道：“我仔细检查了留在现场的大铁锤。原本我认为道格拉斯先生是用铁锤保护自己。可问题是，铁锤上一丁点儿痕迹也没有。”

“这并不能证明什么。我见过许多用铁锤作为凶器的案子，铁锤上也没留下痕迹。”麦克唐纳警探耸耸肩，显然是不同意梅森警探的看法。

梅森警探继续说："现场留下了一把**火枪**。它比正常的火枪短，是被人故意截短的，凶手可以**轻而易举**地把它藏起来，不露痕迹。火枪上刻着'Pen'三个字母，写着其他字母的那一截被锯掉了。"

福尔摩斯问道："是不是一大两小三个花体字母？"

梅森警探惊讶得嘴巴都合不拢了。他直勾勾地盯着福尔摩斯，说："一点儿也不错，你是怎么知道的？难不成你去过现场？"

福尔摩斯轻笑了一声，脸上露出得意的表情，回答道："那倒没有。我只是知道这枪来自美国一家有名的**军火工厂**，这种字母是他们那里的特点。"

梅森警探更吃惊了，他像是一个被难题困扰了很久的学生，而福尔摩斯就像一位博学的老师，轻轻松松就解开了他的难题。他用一种期待的眼神看着福尔摩斯，说："我曾经在书上看到过，美国一些地方喜欢把火枪截短。这是不是能说明，凶手是从美国来的？”

麦克唐纳警探忍不住打断他：“嘿，老兄，你想的可真多。我们现在甚至还不能证明是外人闯进庄园行凶的。”

梅森警探腾地站了起来，恼怒地反驳道：“怎么没有？敞开的窗户、窗台上的血脚印、奇怪的卡片，还有这把火枪，这些还不能证明吗？”

麦克唐纳警探**不以为然**地摇摇头，说：“这一切都可以**伪造**。道格拉斯先生和巴克先生都在美国待过。说不定这枪就是他们自己的！”

梅森警探把双臂在胸前交叉着，头一昂，说：“我已经问过管家先生了，他说从来没见过这把枪。”“哼，庄园那么大，火枪截短后很容易藏起来。”两位警探像斗气的公鸡，谁也不让谁。

福尔摩斯沉思了一会儿，说：“麦克唐纳警探，你认为凶手是庄园里的人吗？”

麦克唐纳警探挺着胸脯，信心满满地回答道：“没错！首先，我们可以确定，凶手是**有预谋地**杀人。你们看，地上留下的卡片，还有失踪了的结婚戒指，这些都可以证明，凶手抱着某种不为人知的目的。我们再来想想，假设凶手是从外面进来杀人的，他应该知道，庄园四周全是水，没那么容易逃跑。那么他选择的凶器应该是声音越小越好。这样他才能指望办完事后，很快跳上窗台，跳进河里逃走。但是，他竟然选择了声音那么大的火枪。他明知道，会发出砰的一声**巨响**，全庄园的人立马就会知道出事了，他还怎么在大家的眼皮子底下逃走呢？”

庄园外的护城河

福尔摩斯不露声色地点了点头，说：“你的理由确实很充分。”他又转头问道：“梅森警探，你有没有到河对岸勘查过，看是否有人上岸的痕迹？”

梅森警探不假思索地回答道：“当然。我第一时间就跑过去了，可那里一点儿痕迹也没有。话说回来，对岸主要是石头，就算真有人从那里上岸，恐怕也看不出什么痕迹。”

福尔摩斯站起身，从衣架上取下自己的帽子，说：“是时候去庄园看看了。我想，现场应该会给我们一些**答案**。”

梅森警探跟在福尔摩斯身后，激动地搓着手说：“这样再好不过了。能请到你这样的高手帮助我们，案子就有希望了！”

一行人沿着街道向庄园的方向前进。路上到处都是榆树。拐过一个弯后，映入眼帘的，是一条宽阔的护城河和一座木吊桥。河水在寒冬的阳光下闪着亮光，就像一条银色的发带。

梅森警探指着远处的窗户说：

“你们看，出事的屋子就是吊桥**右边第一扇窗户**那里。它和昨天出事的时候一模一样，我们不敢随意破坏现场。”

华生眯着眼睛看了看，说：“这扇窗户看起来很窄，如果有人想从那里钻出去，应该不容易啊。”

“万一凶手是个瘦子呢？那可就难不倒他了。”梅森警探说。

福尔摩斯走到河边，朝对面的庄园望了望，接着又弯下腰仔细检查了河边的石岸和草丛，像是在**寻找**什么东西。

梅森警探显得有些着急，他催促道：“福尔摩斯先生，这里我已经检查过很多遍了，什么也没有。我们还是快进庄园看看吧。”

“我想问问，这条河的河水一直都这么**浑浊**吗？”福尔

摩斯站起身，似乎放
弃了河岸，开始对河水产
生兴趣。

“差不多，这条河夹杂着不少泥沙，所以总是这么浑浊。”

福尔摩斯捡起河边的一块石头，投入水中，看着石头慢慢沉下去，问道：“这条河大约多深呢？”“中间最深的地方大概**不到一米**吧，差不多就到我们腰这里。”梅森警探用手比画了一下。

“这么说，一个成年人过这条河，是不可能被淹死的吧？”

“当然！就算是小孩也不会被淹死。”

福尔摩斯站直身体，说：“走吧，我们进庄园去看看！”

梅森警探带着大家向前走去。一行人穿过吊桥，走进了神秘而阴沉的庄园。

在庄园的大门口，一个长相古怪、**骨瘦如柴**的老人在那里等候着，看样子已经等了很久。他就是老管家埃姆斯。一看到福尔摩斯他们，老人就迎上前来，激动地说："谢天谢地，你们总算来了。"看起来，他受的惊吓不小，整个人颤颤巍巍的，好像下一秒就会倒下去。

到了案发现场，梅森警探开始镇定地安排工作："老管家，通知庄园里的人集合起来吧，待会儿把他们一个个叫进来，我们需要再问大家一些问题。"

等老管家离开后，几位侦探仔细观察了屋里的各个角落。梅森警探迫不及待地发表了他的看法："这案件有些地方实在是解释不通。庄园里的人都说，听到枪响后，他们以最快的速度赶到现场，最多不会超过一分钟。其中巴克先生是最快的，半分钟都不到。在这么短的时间内，凶手既要留下卡片，又要摘掉戒指，还要跳窗逃跑，根本**来不及**啊！"

"你说得很有道理。"福尔摩斯两手交叉放在膝盖上，朝梅森警探点了点头，示意他继续。

警探的推理

梅森警探受到了鼓舞，脸上的表情更是**眉飞色舞**。他推理道："刚才我们讨论过，凶手很可能是在傍晚吊桥收起来之前偷偷潜入庄园的。那时候，道格拉斯夫人正在招待客人，凶手趁机混进了书房。他有可能是来偷东西的，也有可能是来寻仇的。道格拉斯先生在美洲住过一段时间，而凶器恰好又是美国武器。这么看来，凶手更像是来**寻仇**的。他一直躲在窗帘后面，伺机等候。半夜十一点多，道格拉斯先生走进了书房。他应该和凶手交谈了几句，之后凶手就残忍地杀害了他。"

麦克唐纳警探好奇地问："为什么你说他们交谈过？"

梅森警探眼里闪着智慧的光芒，他**推理**道："道格拉斯夫人说，她丈夫才离开几分钟，她就听到枪声了。凶手和道格拉斯先生就是在这几分钟内交谈的。"

"嗯，桌上的蜡烛可以说明这点。"福尔摩斯补充道。

梅森警探情绪更加高涨了，他继续推理道：“没错！那原本是支新蜡烛，你们看，现在已经烧掉一个指甲盖那么高了。我推测，道格拉斯先生一定是先把蜡烛放到桌上，然后才被枪击中。如果他一进屋就遭到枪击，那么蜡烛肯定会掉在地上。”

福尔摩斯点点头，说：“嗯，在放下蜡烛的这段时间内，他们应该有过一些交流。”

梅森警探在屋子里走走停停，模拟案发时的情形：“现在，我们来还原一下案发现场。道格拉斯先生走进屋里，放下蜡烛。凶手冷不丁地从窗帘后面钻出来，手里拿着火枪，恶狠狠地逼他交出结婚戒指。道格拉斯先生害怕极了，只好把戒指交给凶手。凶手一拿到戒指，就残忍地杀害了他。当然了，还有一种可能性：道格拉斯先生和凶手进行了一番搏斗，地毯上的铁锤就是他自卫的武器。不过，最终还是凶手占了上风。他行凶后，丢下火枪和卡片，从窗台跳了下去，再蹚过护城河，成功逃跑。福尔摩斯先生，你觉得我的解释怎么样？”梅森警探期待地看向福尔摩斯。

福尔摩斯耸了耸肩，说：“你的故事听起来很合理，但还有一处解释不通的地方。”

一旁的麦克唐纳警探按捺不住了，冲着福尔摩斯大喊起来：“我们说的你都不认同，那就说出你的看法啊。最好拿出证据来，别只是坐在这里说空话！”

福尔摩斯双眉紧锁，眼神敏锐得像老鹰一样，让人**不寒而栗**。他冷冷地说道：“先不要着急。我得了解更多的情况之后，才能做下一步的推理。嗯，是时候请老管家进来了。”

很快，老管家走了进来。他恭恭敬敬地问道：“先生们，有什么事情需要我效劳？”

福尔摩斯问道：“听说你以前见过道格拉斯先生手臂上的**图案**，是吗？一个圆圈里面套着一个三角形的烙印。”

老管家点点头，说：“是的，我经常看见。”

“那你有没有听人说起过这个图案的含义？”

“从来没有，先生。”

福尔摩斯皱了皱眉头，问道：“我还发现道格拉斯先生的下巴上贴着一小块**膏药**，你知道是怎么回事吗？”

“哦，昨天早晨先生刮胡子的时候不小心刮到下巴了。这倒是个稀奇事，他平时很少会犯这样的错误。”

福尔摩斯的眼睛亮了起来：“哦？嗯……这很可能说明，他昨天早晨有点儿紧张。没准他早就察觉到了危险。”

现场的新发现

福尔摩斯的话启发了老管家，他拍了拍脑袋，说："哎呀，先生，您这么一说，我倒是想起来了。这两天道格拉斯先生好像有点坐立不安的，情绪很容易激动，好像受了什么惊吓似的。"

福尔摩斯满意地点点头，说："果真如此。"他又拿起留在现场的那张卡片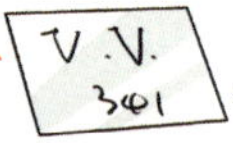

，问道："这上面写的'V.V.'和数字'341'，你知道代表什么意思吗？"

老管家茫然地摇了摇头，回答道："抱歉，先生，这我实在是不清楚。"

福尔摩斯转头看向两位警探，问道："你们有什么看法吗？"

麦克唐纳警探迟疑地说："会不会是……某个**秘密团伙**的代号？会不会跟……被害人胳膊上的标记有关系？"

福尔摩斯琢磨了一会儿，说："嗯，我们可以做一个假设。假设有个秘密团伙派人来暗杀道格拉斯先生，杀手得手了，留下这样一张卡片。这其实是在向同伙宣告，他的任务完成了。呵呵，他知道，同伙肯定能从报纸上看到这一切。可是，还有几个地方说不通……天底下武器那么多，他为什么会选择动静最大的火枪呢？”

福尔摩斯走到窗户旁边，想再仔细查看窗台上的血迹。突然，他注意到窗台旁边的桌子底下，有一个孤零零的**哑铃**躺在那里。他不由得皱起了眉头。哑铃一般是成对的，谁会只用一个哑铃锻炼身体呢？他转过头问老管家：“咦，这里怎么只有一个哑铃？还有一个在哪里？”

老管家愣了一下，说：“这……我还真没注意到。也许本来就只有一个？”

福尔摩斯在窗户前来回踱步，**自言自语**道：“只有一个哑铃……”这时，一阵急促的敲门声打断了他的思路。紧接着，一个身材高大、皮肤黝黑的人探头进来，说：“打扰了，各位，我们发现了一些新线索。”

这人就是昨晚报警的巴克先生。他用手指着外面，急切地说：“有人发现了凶手的**自行车**！就藏在不远处的灌木丛里。现在它被推到庄园门外了！快过去看看吧。”

几位侦探立刻跟着他往外走去。到了大门口不远处，一辆破旧的自行车出现在大家眼前。车上沾了很多泥浆，看得出应该被人骑了很远的路。车座上有个工具袋，里面装着扳手等工具。但仅凭这些东西，没法猜出车主是谁。

麦克唐纳警探嘟囔着：“唉，如果自行车都登记过车主的

信息，那就好办了！不过嘛，我们至少知道凶手是骑自行车来的。奇怪……他逃跑时为什么会**丢下**这辆自行车呢？福尔摩斯先生，这案子越来越复杂了，真是一点儿眉目也没有。”

“是吗？”福尔摩斯的脸上闪过一抹神秘的微笑，“我看不一定！”

众人的证词

大家重新回到屋里。梅森警探提议道："要不，我们现在就请庄园里的人再说说那晚的情况吧？或许会有新发现呢。"

第一个被叫进来的是老管家。他一脸悲痛地回忆道："五年前，道格拉斯先生买下这个庄园的时候，我就做了他的管家。嗯……据我所知，他在美国赚了很多钱。搬到这里以后，他很少外出，几乎从不离开村子。不过，在被害的前一天，他到附近的**集市**去买了点东西。对了，他就是从集市回来后，变得有点反常，看起来很紧张、很害怕。"

梅森警探立刻追问道："你每天晚上把吊桥收起来，是因为道格拉斯先生平时就很胆小吗？"

"不不不！"老管家连连摆手，"他平时胆子大得很。每晚收吊桥，只不过是庄园**古老的习俗**。他喜欢把这种古老的传统保持下去。"

梅森警探又问："那么，在案发的时候，你听到枪声了吗？"

“没有。那时我正在厨房里收拾碟子，听到庄园的**警报铃响**，才知道出事了。厨房离出事的房间非常远，我听不见那里的声音。”

“哦？”几位侦探感到十分惊讶。原来，枪声并不是庄园里人人都能听到的。

老管家继续往下说：“当我赶到书房门口的时候，夫人正从楼梯上走下来。当时我觉得有点奇怪，她虽然看起来很紧张，但好像并不是特别伤心。后来，巴克先生冲出来拦住了夫人，不让她去看现场。”

接下来，庄园里的女管家被请了进来。她描述的案件经

过和老管家说的差不多。她也没听见枪声，只听见了警报铃响。两位管家差不多同时赶到了现场。女管家说："巴克先生吩咐我扶夫人上楼。夫人害怕得浑身发抖，但也没有哭喊着非要进屋去看先生。"

女管家还提到了一个**新情况**：在警报铃响之前半小时左右，她隐约听到了啪的一声，好像是关门的声音。

至于庄园里的其他仆人，他们既没有听到枪声，也没有听到铃声。原来，他们都住在庄园最里面的地方，根本听不到什么动静。直到警察赶来，他们才知道出事了。

最后，几位侦探把视线投向了报案的巴克。巴克镇定地说起了他和道格拉斯之间的故事。他们俩曾经在美国的加利福尼亚州一起经营矿产生意。五年后，就在生意正红火的时候，道格拉斯突然变卖了所有家产，搬到英国偏僻的乡下。巴克觉得，他好像是在躲什么人。因为就在他搬家后的一个星期，**接二连三**有人跑来打听他的去处。这些人长得凶神恶煞，一看就很不好对付，像是什么**秘密组织**来寻仇的样子。

"哦？那个时候就有秘密组织的人来寻仇了？"麦克唐纳警探挑了挑眉，问道，"巴克先生，你和道格拉斯先生认识多长时间了？他是在认识你之前就招惹上那个秘密组织的吗？"

“是的。”巴克肯定地说，“我们认识十几年了。他和我经营矿产生意的时候，从来没跟这类组织打过交道。那肯定是以前的事情。”

麦克唐纳警探点点头，说：“也就是说，这个秘密组织追踪了他十几年！他们之间得有什么样的深仇大恨，这么长时间还放不下？对了，巴克先生，你认识道格拉斯先生的时候，他就结婚了吗？”

“不，当时他是单身汉。在那之前他有一位妻子，好像有德国血统。可惜啊，她患伤寒病去世了。我看过她的画像，是一位很美丽的女人。”

麦克唐纳警探又问道：“道格拉斯先生在美国的时候，还在什么地方待过？”

“他去过的地方可就多了！我听他讲过好几次芝加哥！哦，他还提到过一些产煤、产铁的地方。”

麦克唐纳警探继续追问道：“巴克先生，那你是什么时候来到英国生活的？”

“哦，我只比道格拉斯晚来一年。大约是五年前吧，那时候他快结婚了。嗯，娶的就是现在这位妻子。我还是他婚礼的见证人呢！”

麦克唐纳警探沉默了一会儿，突然紧紧盯着巴克的眼睛问道：“听说，你和这位新夫人的**交情**也不错。道格拉斯先生……是怎么看的？”

巴克立刻板起了脸，反问道：“我是道格拉斯的好朋友，当然也很熟悉他的夫人。你这么问是什么意思？”

麦克唐纳警探耸了耸肩，说：“很抱歉，我并不想冒犯你。不过，凡是跟这起案件有关的事，我都有责任问清楚。”

夫人的奇怪反应

巴克的脸色唰的一下变得苍白，两只有力的大手像抽筋似的紧紧绞在一起。突然，他大吼起来：“不！你没有权利问这样的问题！这太不礼貌了！我**拒绝回答**！”

“你可以拒绝回答，但是，你的这种行为本身就是一种答案。如果你没什么事需要隐瞒，为什么拒绝回答呢？”

巴克的脸一阵红一阵白，两道又浓又黑的眉毛紧紧地皱了起来。过了一会儿，他扬起头，表情平静地说：“我敢说，没有比我更**忠诚**的朋友了。而道格拉斯夫人呢，是我见过最爱自己丈夫的女人。没错，道格拉斯是有些小心眼，只要看到我和他的夫人说话，就会破口大骂，好几次我气得再也不想到这里来。但是，过后他冷静下来，又会写信跟我道歉，让我一定要原谅他。唉！”

巴克说得很真诚，但麦克唐纳警探显然并不打算放过他。他追问道：“巴克先生，你知道道格拉斯的结婚戒指被人取走了吗？所以，这桩案件，会不会跟他的婚姻有关系？”

巴克的双眼顿时燃起了怒火，他极力控制自己不要大声咆哮：“你们……你们不要瞎说！这会有损道格拉斯夫人的名誉！噢，你们的破案思路**完全搞错了**！天哪……”

这时，沉默了许久的福尔摩斯开口了：“巴克先生，我还有一个小问题。案发之后，你冲进这间屋子时，桌上只点着一支**蜡烛**，是吗？”

巴克点了点头，说：“没错，是这样的。”“那么，你是借着烛光，看到了屋里的悲惨景象，对吧？”

“对！”

“很好。”福尔摩斯继续发问，“于是你马上按下了庄园的警报铃。紧接着，就有人赶来了，对吗？”

“是的，他们在一分钟内就赶过来了。”

福尔摩斯锐利的眼睛紧盯着巴克说：“可是，有一件事似乎说不通。他们赶到现场的时候，发现蜡烛已经熄灭了，屋里点着**油灯**。那么，你在按了警报铃之后，顾不得紧张和害怕，在一分钟内吹灭蜡烛，又点好油灯，是这样的吗？”

巴克的脸上闪过一丝慌乱，但他很快就镇定下来了：“是的，烛火很暗。当时我就想着，得赶快让屋子里亮堂起来。”

福尔摩斯点点头，表示没有其他问题了。巴克不慌不忙地扫了大家一眼，转身走了出去，脸上表情看起来很不高兴。

没多久，道格拉斯夫人也被带了进来。她大约三十岁，身材修长，容貌秀美。此时她脸色苍白，但并没有显得痛不欲生。她纤细的手扶在桌上，一点儿也没有颤抖。那双忧愁的眼睛扫了大家一眼，问道："案子有什么新进展吗？"

奇怪的是，她的声音里并没有对破案的期待，只是显得很慌乱。

麦克唐纳警探清了清嗓子，说："我们正在努力调查。现在有一些问题要问你——夫人，你听到枪声了吗？"

"是的，我丈夫下楼后不久，我就听到枪声了。他害怕失火，所以每天晚上都要在庄园里绕一圈。"

"夫人，你和你先生结婚五年了，对吧？你是否听他说过一些关于美国的事情呢？他有什么害怕的人吗？"

夫人认真地想了想，回答道："对，我总觉得有一种危险时刻威胁着他。但他从来不肯详细说给我听。他并不是不信任我，相反，我们非常恩爱。我想，他只是不愿意让我跟着担惊受怕。"

麦克唐纳警探疑惑地问道："既然他没告诉你……那你又是怎么知道的呢？"

血脚印的主人

夫人镇定地回答道："我们生活在一起五年了，怎么可能什么都察觉不到？他说话做事，总是会透露出一些迹象。对了，他经常提到一个词——'**恐怖谷**'。有几次，他不安地说：'难道我这辈子也逃不出恐怖谷吗？'"

福尔摩斯立刻来了兴趣："那你有没有问过他，恐怖谷是什么意思呢？"

"我问过，可他一听就脸色阴沉地说：'我们两个之中，有一个被它的魔影笼罩就够了！'对了，他还提到过一个人名。三年前，他有一次发烧，神志不清，嘴里不停地念叨一个名字——'**麦金蒂**'。他的语气既愤怒又害怕。这个麦金蒂……我猜也许就跟恐怖谷有关。"

"恐怖谷、麦金蒂……"福尔摩斯**若有所思**地念叨着这两个词。一旁的麦克唐纳警探又提了一个新的问题："夫人，你知道吧，你先生的结婚戒指被人拿走了。你觉得，这桩案件会跟你们的婚姻有关吗？”

这时，道格拉斯夫人的脸上竟然闪过了一丝不易觉察的笑容。不过，她很快恢复了平静：“戒指的事确实很奇怪，我也想不明白是为什么。”

道格拉斯夫人一走，麦克唐纳警探就迫不及待地分析了起来：“巴克先生看起来很招女孩子喜欢。另外，他也承认，道格拉斯先生是个爱吃醋的人，还有奇怪的结婚戒指……福尔摩斯先生，你不觉得有什么问题吗？”

福尔摩斯没有正面回应麦克唐纳警探的问题。他托着下巴，沉浸在自己的世界里。忽然，他站起身，拉响了呼唤铃。老管家急急忙忙地赶了过来。福尔摩斯问道：“老管家，你还记得吗，出事的那个晚上，巴克先生的脚上穿的是什么鞋？”

老管家仔细回忆了一会儿，回答道：“当时……他脚上穿着一双**拖鞋**。后来他要出去报警，还是我把长筒靴递给他，让他换上再出门的。”

福尔摩斯高兴地一下站了起来：“太好了，这双拖鞋现在在哪里？”

“应该还在大厅的椅子底下。现在鞋子上应该已经沾了不少血迹，就跟我的鞋子一样。”

几分钟后，福尔摩斯从大厅把拖鞋取了回来。果然，鞋底上留着茶褐色的血迹，那应该是巴克在现场不小心踩到的。福尔摩斯走到窗前，把鞋子放在阳光下仔细观察。他疑惑不解地念叨着：“奇怪，真是太奇怪了。”

突然，他像猫一样跳上窗台，俯身把拖鞋放在窗台上的血脚印上。在场的所有人都被眼前的这一幕惊呆了：拖鞋和血脚印竟然**完全重合**！毫无疑问，血脚印的主人正是巴克先生。他为什么会这么做？难不成，他就是杀害道格拉斯先生的凶手？

夫人的秘密

侦探们立刻热火朝天地投入了新一轮的调查中。要给巴克定罪，他们还需要更多的证据。

华生帮不上忙，百无聊赖地到花园里散步。花园的四周环绕着一排排古老的紫杉树，中间则是一片很大的草坪。花园的景致让华生紧绷的弦渐渐放松下来。突然，他听到前面有人在**低声说笑**。奇怪，刚刚发生了惨案，整个庄园正笼罩在阴郁而沉痛的气氛中，谁会这么轻松地说笑呢？

华生在紫杉树丛的掩护下，蹑手蹑脚地走上前去。透过浓密的树荫，他看到两个人坐在长条石凳上。原来是巴克先生和道格拉斯夫人！此刻，夫人的脸上满是笑容，看不见一丝忧伤，她的双眼闪烁着欢乐的光辉。巴克先生坐在她旁边，两手轻松地搭在膝盖上，英俊的脸上也洋溢着笑容。

华生惊呆了！一个是死者的妻子，一个是死者最要好的朋友，此刻他们竟然如此轻松和欢快。难道说，是他们合谋

害死了道格拉斯先生？华生感到**不寒而栗**，一阵冷汗冒上了额头。

巴克很快就发现了华生，他立刻装出严肃的表情，镇定地跟华生打招呼：“华生医生，你好啊！”停顿了一会儿，他又说：“道格拉斯夫人有几句话想说，你能过来听听吗？”

华生一点儿也不想听他们说话，但还是阴沉着脸走了过去。

道格拉斯夫人长叹一口气，显得**楚楚可怜**。她开口说道：“唉，华生先生，你一定认为我是一个冷血无情的人吧？”

“这和我没有关系吧。”华生轻蔑地冷笑了一声。在他看来，道格拉斯夫人这副柔弱的样子，一定又是伪装出来骗人的。

道格拉斯夫人显得很委屈，又有些急切：“我相信，未来的某一天你会改变对我的看法……”还没等她说完，巴克先生就打断了她的话：“夫人，华生医生没必要了解太多。他刚才已经说了，这跟他没关系。”

“确实没必要。我先告辞了，我还想继续散散步呢。”华生冷漠地转过身。他身后的道格拉斯夫人几乎是用恳求的语气喊道：“请等一等，华生先生，我有一个问题想问你。你是这个世界上最了解福尔摩斯的人。如果说，有人要告诉福尔摩斯先生**一个秘密**，他会立刻转告给那些警察吗？”

巴克先生也在一旁补充道：“对，请问福尔摩斯先生到底是独自行动，还是总跟警察局一起解决问题呢？”华生面无表情地回答：“福尔摩斯是一位独立的侦探，任何事情他都会自己拿主意。不过，如果是能帮助警方捉拿罪犯的事情，那他也不会隐瞒。嗯，你们有问题为什么不直接去问他本人呢？我能说的就只有这么多了。”说完，华生就大步离开了。

华生回去一见到福尔摩斯，就迫不及待地把花园里的事告诉了他。福尔摩斯研究了一下午的案情，累坏了，那会儿正**狼吞虎咽**地吃着点心。他头也不抬地说：“他们能告诉我什么秘密？哼，就算把他们当同谋犯逮捕起来，他们也没什么好说的。”

华生的呼吸一下变得急促起来：“真会是他们俩干的吗？”

福尔摩斯大口吃着面包，眼里闪着调皮的神色：“华生，等我消灭掉第四个鸡蛋，我再告诉你。嗯……虽然案件的真相还没有**水落石出**，但是……我已经找到了关键性的线索——就是那个丢失的哑铃。”

“哑铃？它怎么就成了……关键性的线索？”

谁在撒谎

华生迷茫的表情惹得福尔摩斯哈哈大笑："哈哈，我想只有我注意到了这一点。如果只用一个哑铃锻炼，那就会导致两只手臂的肌肉不对称。这太不正常了！"

福尔摩斯心满意足地吃完了点心，惬意地坐到炉火旁，开始揭秘："华生，我们听到了一个**巨大的谎言**。巴克先生和道格拉斯夫人早就串通好了，他们的证词根本就是胡说八道。现在，我们的**当务之急**是查清楚他们为什么撒谎，他们到底想隐瞒什么！"

"啊，这两个人果然有问题！你是怎么发现的？"

福尔摩斯平静地说："简单地推理一下就可以了。按照他们俩的说法，枪响后，巴克立刻赶到了现场，其他人也都在一分钟内赶到了。也就是说，凶手要在这么短的时间里完成这么多动作：开枪杀人，摘下结婚戒指，又把原本戴在上层的大戒指再套回去，还要留下卡片，之后再逃得**无影无**

踪——这是任何人都**办不到**的。当然你可能会说，戒指是凶手在开枪之前，威胁道格拉斯先生主动摘下来的。但老管家说过，道格拉斯先生的胆子很大，怎么会被人吓唬两句就乖乖交出戒指呢？对了，别忘了一个重要的情况，窗台上的血脚印是巴克自己弄上去的，不就是为了**迷惑警方**吗？”

华生连拍自己的大腿，说：“哎呀，没错！巴克一定是在撒谎！”

福尔摩斯继续侃侃而谈：“现在，我们要拨开迷雾，从谎言背后找出真相。首先，凶案到底是什么时候发生的？到目前为止，只有巴克和道格拉斯夫人说听到过枪声。既然他们俩在撒谎，那么枪声实际上是什么时候响的呢？我做过实验，发现只要把房门都关上，无论书房发出多大的声音，厨房那边都听不见。但是女管家的卧室就不一样了。女管家说自己有一点耳背，但好像听到过关门的声音。我认为，她听到的就是枪声。也就是说，那才是**真正的案发时间**——夜里十一点不到，比巴克说的时间早半小时。接下来我们必须查清楚另一个问题：巴克和道格拉斯夫人到底是不是凶手。”

华生脱口而出：“除了他们俩，还能是谁？”

福尔摩斯却摇了摇头，说：“如果说他们俩合谋隐瞒了真相，我完全同意。但要说他们俩是凶手，这不太说得通。假设真是这两人**处心积虑**杀死了道格拉斯先生，还编出一个秘密组织寻仇的故事，这合理吗？你想，为了配合这个说法，他们俩把一辆自行车丢在花园里，又在窗台上印了个血脚印，还丢下一张卡片。这些确实可以理解为是为了迷惑警方而留下假线索。但有两点解释不通。第一，他们为什么偏偏要选择**火枪**作为凶器呢？火枪的声音那么大，难免会惊动庄园里的人。要知道，像女管家那样耳背的人可不多。第二，他们为什么要摘掉结婚戒指呢？这个举动就更荒唐了，那不是正好把警方的注意力引到夫人身上吗？”

华生不由自主地皱起了眉头：“呃……你越说我越糊涂了。他们俩如果不是凶手，为什么要隐瞒真相呢？”

福尔摩斯靠着椅背，抬起头看着天花板，若有所思地说：“这就是**问题的关键**。枪响之后，书房里到底发生了什么？让我再想想……”

突然，福尔摩斯坐直了身体，精神振奋了起来：“对呀！假设真是秘密组织寻仇，又摘下了结婚戒指，那么，这个仇恨也许跟被害人的第一段婚姻有关。当时的情形可能是这样的：在凶手逃跑前，巴克和道格拉斯夫人就赶到了现场。可凶手威胁他们俩，如果说出真相，他就会把一桩和被害人有关的丑闻**公之于众**。所以，他们俩被迫放走凶手，把真相隐瞒了起来。”

骑自行车的神秘人

正当华生听得目瞪口呆时，两位警探兴高采烈地回来了。他们的眼里闪着兴奋的光芒，嘴角快咧到耳根了。麦克唐纳警探大声嚷道：“重大发现！重大发现！自行车的车主找到了！”

原来呀，那天老管家说，道格拉斯先生从集市回来后，就变得紧张不安。侦探们据此推测，他也许是在集市上遇到了危险的人，而那个人很可能就是骑自行车到庄园的**凶手**。于是，两位警探把自行车带到了集市上，想碰碰运气，看有没有人见过这辆自行车。幸运的是，一位旅馆经理认出来了！他说这辆自行车的车主之前就住在他的旅馆里，名叫哈格，是个美国人。不过，他昨天早上骑车离开后，直到现在也没有回来。

福尔摩斯顿时来了兴趣：“这位哈格先生长什么样？”

麦克唐纳警探把手里的笔记本翻得哗哗响。“在这里。

我把谈话的内容全都记下来了。那人身高一米七五，年龄在五十岁左右，头发和胡子都是灰白的。”他得意地说。

福尔摩斯用手支着下巴，说：“哦？听起来他和道格拉斯先生长得**很相像**呀！还有其他线索吗？”

麦克唐纳警探马上回答：“那个哈格穿着一件大衣，头戴一顶帽子，手里拎着一个手提箱。我猜，他昨天一大早就来到了庄园附近，把截短的枪藏在大衣里，或者是放进了手提

箱里，然后一直在庄园外面**等待机会**。我们一直不理解，为什么凶手会选择火枪当武器，也许他一开始是想在室外干掉道格拉斯先生的。在英国，爱好射击的人很多，户外偶尔传来枪声一点儿也不奇怪。只是，他在外面一直没找到机会下手，最后只好带着火枪潜入庄园。”

福尔摩斯高兴地说：“你们确实是干了一件大事！不过，我也有新情况要告诉你们。巴克和道格拉斯夫人联合起来隐瞒了一些事情。也许，正是他们俩放下吊桥，帮助凶手逃跑的。他们俩还在窗台上印了**血脚印**，伪装成凶手跳窗逃跑的假象。”

两位警探顿时瞪圆了眼睛。梅森警探夸张地张大了嘴，说：“啊？可我记得，道格拉斯夫人从来没去过美国呀！她怎么可能认识一个美国的凶手，还冒着风险包庇他？”

福尔摩斯耸了耸肩，说：“这些问题我现在还没有弄清楚。今天晚上，我会再去庄园调查一次。对了，华生，你是不是有一把**大雨伞**？借给我用一用吧。”

华生疑惑不解地拿出了自己带来的大雨伞。

福尔摩斯低声念叨着：“很好，很好！有了这把伞，咱们就等着夜幕降临了！”

到了夜半时分，福尔摩斯摇摇晃晃地回到了卧室。那时华生已经睡着了，但还是被关门声吵醒了。他**睡眼惺忪**地问道：“你回来了，福尔摩斯。有什么新发现吗？”福尔摩斯举着蜡烛，站在华生床前，**精神抖擞**地说：“华生，如果你现在和一个疯子睡在同一个房间里，你会害怕吗？”

华生迷迷糊糊地强睁着眼睛，诧异地看着福尔摩斯回答道：“不，不会。”

福尔摩斯咧嘴一笑，坐到了自己床上。“哈，今晚的运气不错！”说完，他就不再说话了。

警探的怒火

第二天一早，福尔摩斯拉上华生，急匆匆地赶到了当地的警察局。麦克唐纳警探和梅森警探正**愁眉苦脸**地坐在办公桌前，面前的电报和书信都快把他们俩淹没了。

“早上好，两位。你们还在追踪那个骑自行车的人吗？”福尔摩斯眉飞色舞地问。麦克唐纳警探叹了一口气，说：“唉，我们不是向全国发了通知，寻找自行车的车主吗？”他朝面前堆着的电报和书信努了努嘴。“看，各地区发来了这么多报告，我们眼睛都快看花了。”

福尔摩斯扫了一眼**堆积如山**的报告，同情地说：“噢，别再把精力浪费在这里了。给你们一个忠告吧——放弃追踪自行车的车主！”

“什么？”听了福尔摩斯的话，两位警探**异口同声**地吼了出来，震惊地看着眼前这位侦探。麦克唐纳警探气得双手拍了一下桌子，腾地站了起来，大声说道：“福尔摩斯，你疯了吗？你知道我们为了这些资料付出了多少吗？你说放弃就放弃，那这个案子就不查了？”

梅森警探连忙拉住他，生怕他做出更冲动的举动。福尔摩斯平静地说：“我只是觉得你们这样查下去，永远也查不到真相。我已经知道该怎么办了，但是很抱歉，我现在还不能告诉你们。”

麦克唐纳警探感到既生气又疑惑，他**质问**道：“福尔摩斯，难道说昨晚你发现了什么，还非要向我们隐瞒？这可就是你的不对了！”

福尔摩斯从上衣口袋里掏出一本**小册子**，封面上印着这座庄园的图案。他不紧不慢地说：“你们看看这本小册子吧，里面介绍了这座历史悠久的庄园。呵呵，在过去的几百年里，不少名人在这里住过呢！曾经有位国王还在庄园里藏了好几天。”

麦克唐纳警探涨红了脸，急躁地说：“这和我们的案件有什么关系？”

“没有关系吗？”福尔摩斯扬了扬眉毛说，“侦探最重要的基本功就是要有开阔的眼界。以后你就知道有什么关系了。现在我们先回到这个案子上来吧。昨天夜里，我一个人在出事的书房里待了一段时间。”

梅森警探好奇地问：“那里我们已经查看了好几遍，你还待在里面做什么？”福尔摩斯双手交叉抱在胸前，表情轻松地说：“没什么，我不过是找到了那个**失踪的哑铃**。我一直觉得它对这桩案子很重要。”

麦克唐纳警探激动地叫了起来：“找到了？怎么可能？整个书房都快被我翻遍了，我也没找着。你待了一小会儿就找到了？”

福尔摩斯神秘地笑了笑，眼睛里透露出狡黠的神色。他神秘地对这两名警探说：“等到时机成熟，我会给你们一个满意的答案。”

“好吧，可你为什么让我们放弃自行车那条线索？这个总可以说说吧。”麦克唐纳警探**闷闷不乐**，还在为刚才的事**耿耿于怀**。

福尔摩斯挑了挑眉，说：“从一开始，你们调查的方向就错了，甚至可以说是**南辕北辙**啊！”

麦克唐纳警探一脸不服气地争辩道：“我们现在唯一的线索就是骑自行车的人。如果连这条线索都放弃了，那我们该干吗？等着凶手来自首吗？”

福尔摩斯的表情变得严肃起来："我会告诉你们要做什么，但前提是你们得**相信**我。"

梅森警探一直很崇拜福尔摩斯，他连忙打圆场："那么需要我们做什么呢？你尽管开口，我们尽力去办。"

福尔摩斯的“馊主意”

福尔摩斯又轻松地笑了起来，说：“那太好了，我建议你们去村庄里散散步。这里的景色非常优美，一定能让你们心情舒畅。对了，还可以找个地方吃一顿丰盛的午餐……”

“福尔摩斯，你在开什么玩笑？”麦克唐纳警探怒气冲冲地站了起来，身后的椅子发出乒乒乓乓的响声。“我们是来这里破案的，不是来度假的！如果你帮不了我们，最好趁早走人，别浪费大家的时间！”说完，他扭过头去，再也不想看见这位只会出“**馊主意**”的侦探。

福尔摩斯也不着急，他拍了拍麦克唐纳警探的肩膀，说：“这样的安排自然有我的用意，你迟早会知道的。今天，你们想做什么就做什么，但是天黑前必须回来见我。这一点很重要。”

梅森警探客气地回应道：“没问题！我们一定及时赶到！”

麦克唐纳警探则板着脸说：“你最好不要骗我，不然我再也不相信你了！”

“对了，麦克唐纳警探，还有一件事需要你来处理一下。”福尔摩斯边说边拉住这位满脸不高兴的警探，“请你写一张便条给巴克先生，内容这么写：巴克先生你好，有件事要通知你们。明天一早，我们打算把护城河里的水**抽干**，看看在河底能不能找到新线索。”

时间过得很快。一天就要过去了，夜幕渐渐降临。大家再次聚在一起，每个人脸上的表情都不一样。有的严肃，有的好奇，有的紧张，而麦克唐纳警探则依旧摆着一张臭脸。福尔摩斯轻松地说：“现在我们就去**揭开谜底**！哦，今天晚上天气有点冷，大家记得多穿点衣服。”

一行人悄悄前往庄园附近。他们躲在一片灌木丛后面，在这个位置刚好能看到书房的窗户。夜色下，书房里和平时一样，亮着黄色的灯光。麦克唐纳警探皱着眉嘟囔道：“我们现在是在做什么？偷窥别人可不是个好习惯。”

福尔摩斯竖起一根手指放在嘴边，轻声说：“嘘！不要说话，耐心等待。”麦克唐纳警探更生气了，他抱怨道：“福尔摩斯，你也太不够朋友了，什么事都不告诉我们！你应该对我们坦诚一点。”福尔摩斯只是笑笑，再次提醒他小声点。华生知道，这是福尔摩斯一贯的风格，他从不会**直截了当**地告诉人们事件的真相。他喜欢像猎人那样静静地等待，让猎物自己送上门来。

天越来越黑，夜色完全笼罩了这座古老的庄园。躲在灌木丛后面的侦探们被冻得瑟瑟发抖，牙齿止不住地直打战。麦克唐纳警探嘀嘀咕咕地说：“我们还要在这个鬼地方待多久？再这样下去，还没等发现真相，我就已经被冻死了。”

“嘘——快看！”福尔摩斯用手指着对面书房的窗户，只见一个**黑色的人影**出现在了灯光下。他将身体探出窗外，手里拿着什么东西，伸进护城河里搅来搅去。过了一会儿，他突然像渔夫捞鱼一样，把一个又大又圆的东西捞了出来，

拖进窗子里。

福尔摩斯像弹簧一样弹了起来，飞快地向前跑去，边跑边低呼："就是现在！**快抓住他**！"

大家纷纷站了起来，迈着被冻麻的双腿，摇摇晃晃地穿过吊桥，冲进了屋子。屋里的黑影不是别人，正是巴克先生。他见到闯进来的这群人，气得头发都快竖起来了，双眼往外喷射着怒火。他**手舞足蹈**地大吼："你们在干什么？就算是警察也不能随意闯进别人的屋子吧！"

天大的秘密

福尔摩斯不理他，而是用老鹰一样锐利的双眼扫视着这间屋子。突然，他的视线停在写字台底下一个湿漉漉的包裹上。他二话不说，猛扑过去抓起**包裹**，厉声喝道：“巴克先生，这个装着哑铃的包裹，是你刚才从护城河里捞上来的吧？”

巴克先生难以置信地问道：“你怎么知道……这里面有哑铃？”

福尔摩斯嘴角一歪，冷笑道：“呵呵，我当然知道。这还是我放回去的呢。”

他不紧不慢地向众人**揭开了谜底**。原来，昨天晚上，他一个人来庄园，正是为了找哑铃。他用华生借给他的大雨伞在河底摸索了一阵，最后如他所料，他钩上来一个包裹。他把包裹仔细检查了一遍，然后重新放回了河里。今天白天，福尔摩斯让麦克唐纳警探写纸条，说要抽干河水，就是为了引诱鱼儿上钩。

福尔摩斯拆开包裹，从里面取出一件**黄色大衣**，说：“你们看，这件大衣做了特殊处理，里面缝了一个这么大的口袋，正好用来装截短了的火枪。再看衣领的标签，上面写着‘维尔米萨镇’。我看过资料，这个小镇坐落于美国的**维尔米萨山谷**。还记得之前我们在现场看到的卡片吗？上面写着‘V.V.’两个字母。我想，它代表的就是这座山谷，应该也就是道格拉斯夫人说的恐怖谷。”

听这位大侦探解说时，巴克脸上的表情可谓是怪相百出：有被骗上当的气愤，也有对福尔摩斯的钦佩，更多的是秘密被发现的懊恼。最后，他用一种挖苦的语气说：“早就听

说过福尔摩斯的厉害，没想到今天亲眼见到了。有本事你再多讲一些啊。”

福尔摩斯摇了摇头，说：“巴克先生，你还是自己说说吧，这样比较体面。”

巴克却把头扭向一边，一句话也不肯多说。接下来无论大家怎样劝说，他都像听不见一样，把麦克唐纳警探气得直跳脚。

突然，一个温柔的女人的声音在门口响起：“巴克先生，谢谢你，不管这件事的结局是什么，你已经**尽力**了。”

大家转头一看，是道格拉斯夫人站在门口。

福尔摩斯冷笑道：“他不仅仅是尽力了，还尽力过头了吧，道格拉斯夫人。这个案子我也有过失。你曾经通过华生向我暗示过，你们有一些秘密，但我当时没放在心上。”

说完这些，福尔摩斯突然大声叫道：“道格拉斯先生，热闹还没看够吗？是时候**露面**了！”

听到这话，道格拉斯夫人吓得两腿一软，几乎要瘫倒在地上。连华生都忍不住拽了拽福尔摩斯的胳膊，说：“你在搞什么名堂？再这样装神弄鬼，我可走了。”大家都知道，道格拉斯先生早就被凶手杀害了。难不成福尔摩斯想让他复活不成？

这时，一个人从阴暗的**墙角**里缓缓地走了出来。灯光照在他那张不同寻常的脸上——一双勇敢刚毅的灰色大眼睛，短短的灰白色胡须，突出的方下巴，嘴角竟带着一丝幽默的微笑。天哪，真的是道格拉斯先生！梅森警探和麦克唐纳警探浑身猛地一颤，脸色都变了。

道格拉斯夫人转过身，扑过去紧紧抱住丈夫。巴克也走上前去，用力握住道格拉斯的手。

道格拉斯缓缓开口说道："福尔摩斯先生，我早就听说过你的大名，没想到会用这样的方式和你见面。"

麦克唐纳警探结结巴巴地说："我……我已经彻底糊涂了。如果你……你是道格拉斯先生，那么这两天……躺在地上的人……是谁？还有，刚……刚才你是从哪里……冒出来的？"

真相大白

福尔摩斯又拿出之前的那本**小册子**，冲着麦克唐纳警探晃了晃，说："我说侦探一定要有开阔的视野，你还不信。还记得这个吗？册子上记载了一位国王躲在这里的故事。我想，道格拉斯先生也可以躲在国王曾经躲过的地方。"

麦克唐纳警探愤怒地说："福尔摩斯，你一直在捉弄我们！你明明知道道格拉斯先生没有死，却还一直瞒着我们。你就这么喜欢看笑话吗？"

福尔摩斯无辜地耸了耸肩，说："这你可就冤枉我了。一开始我也不知道。直到从护城河里捞出**包裹**，我才意识到，被杀的可能根本不是道格拉斯先生，而是骑自行车的神秘人。真正的道格拉斯先生在妻子和朋友的帮助下，一直藏在庄园里，等待逃跑的最佳时机。"

道格拉斯忍不住鼓起掌来："怪不得人们都说福尔摩斯是世界上最聪明的侦探，果然**名不虚传**。但我必须说明，自始至终我都没有做过任何亏心事，我问心无愧。接下来，我讲讲我的故事吧。”

原来，道格拉斯先生年轻时在美国得罪过一群恶人，被他们疯狂追杀。他从芝加哥逃到加州，最后甚至离开美国，搬到了英国偏僻的乡下。他还以为那群恶人总该死心了吧，自己可以安稳地度过余生了。

没想到，有一天去集市时，他见到了一个**可怕的熟悉面孔**。虽然只是远远地瞥了一眼，但他立刻就认出来了，这是他所有仇人中最凶狠的一个，名叫鲍德温。他化名为哈格，也就是警探们后来追查的那个骑自行车的神秘人。

从见到鲍德温的那一刻开始，道格拉斯就明白，麻烦来了。

敌人的胆子很大。鲍德温很快就带着**火枪**混进了庄园，阴沉沉地守在书房里等着他。那天，道格拉斯好像预感到了危险的来临，所以他比平时更加谨慎。他走进书房时，敏锐地发现窗帘下露出了一双长筒靴。他心想：“大事不好！”道格拉斯立刻放下手里的蜡烛，冲到壁炉前抓起了放在上面的一把**铁锤**。一个黑影从窗帘后面蹿了出来。道格拉斯见到刀光一闪，立刻举起铁锤向黑影砸去。那人被砸到了，刀子哐当一声掉到了地上。他像鳝鱼一样绕着桌子跑开，随即从衣

服里掏出枪来。说时迟那时快，道格拉斯猛扑过去死死抓住枪管。砰！**枪响了**。原来，两人扭打在一起的时候，不知是谁碰到了扳机。鲍德温的脑袋被打中了，整张脸**面目全非**。

巴克听到声音立刻赶了过来。他看到眼前的惨状，害怕得不知道该怎么办才好。就在着急的时候，他们俩猛然注意到，鲍德温的身材、头发和道格拉斯十分相像，而且他的手臂上也有和道格拉斯手臂上**一模一样**的烙印。道格拉斯灵机一动，想到了一个好主意——把死去的鲍德温伪装成自己。

他把自己的睡衣给鲍德温换上，还把手上的戒指摘下来戴在了对方手上。唯独那枚结婚戒指，因为尺寸有些小，慌乱之中，他怎么也取不下来，只好放弃。

至于屋里的那张**卡片**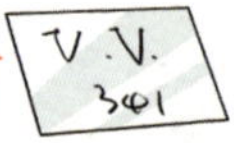

，是鲍德温带来的。他原本应该是打算在杀了道格拉斯以后放在他身边的，没想到最后被放在了自己身边。

对了，道格拉斯还拿来一小块膏药贴在死者脸上，因为那时自己脸上正贴着一小块膏药。他忍不住揶揄了福尔摩斯一句：“大侦探，这一点你忽略了。要是你当时揭开死者脸上的膏药，就会发现，下面什么伤口也没有。”

福尔摩斯略显懊恼地耸了耸肩，继续听他往下讲。

道格拉斯躲进了庄园的密室里。巴克替他处理剩下的事情。他把鲍德温原来穿的衣服包好，连同一个哑铃一起包了进去，沉到护城河底，接着在窗台上印了一个**血脚印**，制造凶手跳窗逃跑的假象。直到把一切都安排妥当了，他才拼命拉响了警报铃。

按照道格拉斯的计划，等风头过去以后，他将和妻子悄悄离开这里。到时候，他们就能过上平静的生活，因为仇家们肯定以为他已经死在了庄园里。哪知梅森警探找来了大名鼎鼎的福尔摩斯，他的精密布置最终还是被识破了。

道格拉斯心平气和地看着福尔摩斯说："事已至此，我没什么好辩解的。请问法律会如何处置我？"

"**法律是公正的**。你应该算是正当防卫，法律不会让你蒙受冤屈。不过，对你来说，还有更危险的事情。你的仇家是怎么知道你的行踪的？"福尔摩斯皱了皱眉头，脸色苍白，表情严肃地说，"嗯，千万不要**掉以轻心**，恐怕，他们未必会轻易上当。"

福尔摩斯的问题，道格拉斯无法回答。他像是走在钢索上，往后的日子只会越来越危险。到底他的仇人是谁？他是怎么得罪他们的呢？这要从二十年前的故事说起……

初入山谷

二十年前的一个冬天，寒风呼呼地刮着，一辆火车哐当哐当爬上山坡。在车厢的角落里，一个三十岁左右的年轻人静静地坐在那里。他戴着一副眼镜，镜片后面的一双灰色大眼睛来回转动，仔细观察着周围的乘客。他嘴角时常带着微笑，看起来是个活泼开朗的青年，但眼神中又透出几分坚毅和刚强。

火车经过的地方是美国的**维尔米萨山谷**，这里矿产资源丰富，到处分布着煤矿和铁矿。天色渐渐暗了下来。山坡上，烧矿的炉火闪着红光，残留的矿渣堆积如山。一座座低矮的木屋零星地散布在铁路沿线。窗外的一切让这座小城镇显得十分凄凉。

年轻人朝窗外张望着，不时从口袋里掏出一封信来看，还在上面写点什么。接下来，他冷不丁地从口袋里掏出一把**手枪**，低头看了看，马上又收回到口袋里。这一幕被旁边的一个工人注意到了。工人睁圆眼睛，惊讶地朝这边望了过来。

年轻人有些不好意思地笑了笑，压低声音说：“你别误会，我带着它只是为了**防身**。”

工人点了点头，说：“老弟，我看你的样子，你是头一次来维尔米萨山谷吧？你是从哪里来的？在这里有亲戚朋友吗？”

“我是从芝加哥来的，在这里暂时没什么朋友，但是……”年轻人眨了眨眼说，“我有办法交到朋友。”

“哦？什么办法？”

年轻人轻声笑着回答：“嘿嘿，你知道自由人会吗？美国大大小小的城镇都有它的分会。”他神秘地用手指了指自己，

说："我，就是自由人会的会员。只要在这里找到分会，那不就像找到家一样？"

工人猛地坐直身体，警惕地四处张望了一下，看到没人注意他们俩，他才轻手轻脚地走了过来，紧挨着年轻人坐下。接着，他做了一个奇怪的动作——把右手举到自己的右眉边，然后压低声音说："黑夜是不愉快的。"

年轻人立刻把左手举到自己的左眉边，回应道："对旅行的异乡人，黑夜是不愉快的。"

工人激动地咧开了嘴，抓住年轻人的手使劲握了握，说："嘿，你真是自由人会的！我也是！我叫斯坎伦，来自维尔米萨山谷分会。"

"你好，你好！我是芝加哥分会的麦克默多。太好了，刚到这里就遇见了一位会员兄弟！"原来呀，他们刚才那奇怪的动作、对话，是在**对暗号**呢。发现是自己人之后，工人斯坎伦更热情了，他高兴地说："老弟，快跟我说说，你不待在芝加哥那样的大城市，怎么跑到这个山沟沟里来了？"

这个叫麦克默多的年轻人挤了挤眼睛，又朝车厢另一边的两名警察努了努嘴，声音压得更低了："我在芝加哥出了点事，留在那里怕会被警察找麻烦。"

斯坎伦狡黠地笑了笑，好像明白是怎么回事了。他还是很热心地问："那你打算住在哪里呢？"

麦克默多从怀里掏出一张纸条，说："芝加哥有人给我介绍了一家公寓，就在**维尔米萨镇**，房东名叫谢夫特。你听过这个名字吗？"

斯坎伦摇了摇头，说："我不住在那个镇子，也没听说过什么谢夫特。"

火车前进的速度变慢了，汽笛声响了起来：呜——呜——斯坎伦猛地站起身来说："老弟，我要下车了。虽然我不熟悉维尔米萨镇，但我可以给你一个建议。你如果遇到什么难题，就去**联合会馆**，找自由人分会的老大——麦金蒂。咱们这座山谷，还没有人敢不听他的话。"

麦克默多诚恳地点点头，说："好！谢谢你，斯坎伦。"

"不客气，老弟，咱们还会再见的！"斯坎伦下了车，火车又哐当哐当启程了。麦克默多呆呆地望着窗外，天色越来越黑了。突然，车厢里有人**大声喝道**："嘿，那边的小伙子！"

一战成名

麦克默多循着声音望去，噢，不就是刚才那两名警察中的一名嘛。只见他正目光锐利地盯着自己，并且说道："我说的就是你！年轻人，你是新来的吧？听我一句劝，别跟斯坎伦走得太近。他们那伙人不会有好结果的！"

麦克默多一下从椅子上弹了起来，发疯似的咆哮："别多管闲事！我愿意跟谁交朋友，关你们什么事？你觉得我是个傻瓜，该和谁交朋友都弄不清楚吗？"

他这副激动的样子，把两名警察惊得目瞪口呆。车厢里一下骚动了起来，乘客们纷纷朝这边张望，捂着嘴窃窃私语。过了一会儿，警察压下火气，耐心地劝说道:“年轻人，别这么生气嘛。我们这么劝你，也是为了你好啊。”

麦克默多一点儿也不领情，还是手舞足蹈地大吼大叫:“你们这帮警察，没一个好人！听好了，我不需要你们的劝告，一个字也不需要！”

警察**怒气冲冲**地瞪着他说:“好啊！既然你一定要和那群人搅在一起，早晚有一天，我们会逮捕你！”

麦克默多冷笑一声，说:“哼！别吓唬我，我才不怕呢！你们要抓我，尽管去！我就住在维尔米萨镇，谢夫特的公寓。要是我逃走，以后就不叫麦克默多！”

警察们不再跟他纠缠。车上的乘客们，一个个好奇地看着麦克默多。麦克默多的嘴角露出了一丝笑意——这真是个**不可思议**的山谷。

又过了一会儿，火车在一个光线昏暗的车站停下了，站牌上写着几个大字:维尔米萨镇。

麦克默多提起旅行箱下了车。突然，一个矿工走过来和他搭话:“嘿，兄弟，你**真有胆量**！你是不是要去谢夫特的公寓？我知道那个老头儿。我给你带路吧，每天回家我都会路过那里。”

矿工带着麦克默多走下站台，其他乘客看到他们俩，都亲切地挥手打招呼。矿工笑道："哇，你才第一天到这里，就已经成了镇上的名人啦！"

他们俩很快就走到了小镇中心。那时天已经很黑了，街边的店铺灯火通明。矿工指着一间华丽的大房子，说："你看，那就是联合会馆，麦金蒂老大就待在那里。"

"麦金蒂……我今天已经是第二次听到这个名字了。他究竟是个什么样的人？"

矿工惊讶地看着麦克默多，说："什么？你居然不知道麦金蒂？他是死酷党……"话说到一半，他突然紧紧捂住嘴巴，脸色苍白，连连摇头说，"哦，我不应该说这个的。我们还是快走吧。"

麦克默多挑起眉毛说："死酷党？我在芝加哥听说过这个帮派，他们是一群杀人不眨眼的魔鬼——"

"嘘！千万别在街上说这种话！让麦金蒂知道了，他不会放过你的！"矿工惊恐地拉着麦克默多快步走开，来到了另外一条街上。"看，前面那座房子就是谢夫特的公寓，我就不陪你过去了，再见。"矿工说完，战战兢兢、东张西望地离开了。

麦克默多走到公寓门口，咚咚咚地敲响了大门。很快，门吱呀一声打开了。可是，门里出现的并不是那个叫谢夫特的老头儿，而是一个年轻美丽的金发女孩，她的皮肤洁白如雪，乌黑的大眼睛一眨不眨地盯着麦克默多。麦克默多失魂落魄、目瞪口呆地愣在原地，舌头好像打成了一个死结。他支支吾吾的，一句话也说不出来。

女孩微微一笑，说：“我猜你是来找谢夫特先生的吧？真不巧，他刚刚出去了，但很快就会回来。你进来等好了。”

麦克默多跟在女孩身后，结结巴巴地问：“你……你是……”

“哦，我叫伊蒂。谢夫特是我的父亲。你是来看房子的吧？”伊蒂把麦克默多带进房间，让他在壁炉边坐了下来。

麦克默多目不转睛地看着她，回答道："对，我已经看好了。这里很适合我。"伊蒂**嫣然一笑**："你决定得太快了吧？"麦克默多不假思索地说："除非是瞎子，不然，谁都会这么决定的。"

两人正说着，老谢夫特推开门走了进来。麦克默多很快就跟他谈好了公寓的租金，当晚就住了下来。

可怕的死酷党

麦克默多在公寓里住了不到一个星期，就和周围的人打成了一片。他性格开朗，幽默风趣，唱歌好听，所以十分讨人喜欢。然而，就像在火车上一样，他还是经常**莫名其妙**、突如其来地大发脾气，让大家又爱他，又怕他。

他在镇上找了个记账员的工作，每天除了工作，就是往伊蒂身边跑。他毫不掩饰自己对伊蒂的迷恋，总拉着她**兴致勃勃**地说个不停，说自己美丽的家乡，说他在芝加哥遇到的奇闻趣事。伊蒂总是面带微笑静静地听着。看得出来，她也很喜欢麦克默多。

这天晚上，麦克默多刚回公寓，就看到了一张熟悉的面孔，正是火车上见过的斯坎伦。他连忙走上前去打招呼："嘿，好久不见啊，好兄弟！"

"好久不见，麦克默多兄弟。"斯坎伦高兴地打了声招呼，但脸上立刻露出**担忧**的表情，"我来也没别的事，就是有点儿担心你。你到维尔米萨山谷这么久了，怎么一直没去联合会馆见麦金蒂啊？”

麦克默多猛地一拍脑门，惊呼道：“哎呀，瞧我这记性。这些天我太忙了，把这事给忘了。”

斯坎伦搓着手说：“这可不行啊！等你腾出时间，一定要马上去见他。事实上，每个会员到山谷的第一天，就必须去拜见麦金蒂。你要是再拖着不去，恐怕要惹他生气了。”

麦克默多惊讶地张大了嘴巴，说：“哦？我们芝加哥分会可没有这样的规矩！再说了，我就是个**无名小卒**，麦金蒂这样的老大也许根本就不知道我来了呢。”

斯坎伦摇了摇头，说：“老弟，芝加哥有芝加哥的规矩，咱们这里有咱们这里的规矩。你先前在火车上大闹一场，名声早就在镇上传遍了。”斯坎伦拍了拍麦克默多的肩膀，劝说道：“听我一句劝，快去见见他吧。麦金蒂一定会很喜欢你的，哈哈哈。”

斯坎伦的身影消失在夜色里，留下麦克默多一个人若有所思地站在门前。突然，走廊上传来一声呼唤：“麦克默多先生？”他抬头一看，原来是房东谢夫特。

谢夫特朝他招了招手，说：“请过来一下，我有些话要跟你说。”

麦克默多一头雾水地走了过去。谢夫特**开门见山**地说：“麦克默多先生，你最近是不是在追求我的女儿伊蒂？”

麦克默多一下红了脸。但是他挺直腰板，认真地看着谢夫特的眼睛说：“没错，我对伊蒂小姐**一见钟情**，希望您能成全我们两个。”

然而，谢夫特却长叹一声，缓缓地摇了摇头，说：“那是不可能的，麦克默多先生。你还是死了这条心吧。”

“为什么？您觉得我配不上伊蒂吗？”

“唉，不是因为这个。其实……其实是因为，已经有一个你惹不起的人在追求伊蒂了。”

麦克默多瞪大了双眼，急切地问道：“什么？他是什么人？您怎么知道我惹不起他？”

谢夫特的声音苍老而疲惫：“他叫**鲍德温**，是死酷党的一个小头领。”

“又是死酷党！”麦克默多愤怒地跺着脚说，“这个死酷党究竟是什么来头？”

谢夫特的脸上露出害怕的表情。他下意识地压低了声音说：“其实……死酷党……就是自由人会。”

结下仇敌

麦克默多差点儿惊掉了下巴："什么？自由人会?！不可能啊！我自己就是自由人会的会员……我们的宗旨是互相帮助、团结友爱，怎么会像死酷党那样干坏事呢？"

谢夫特也震惊地张大嘴巴，颤颤巍巍地指着麦克默多说："原来……你也是自由人会的人！我要是早知道……我绝对不会把公寓租给你！你们的帮会在别的地方是自由人会，但在维尔米萨山谷，就成了死酷党。瞧瞧你们干的那些好事！光是谋杀案就不止五十件！"

麦克默多使劲摇头，他不敢相信自己的耳朵。"不可能啊！我知道的自由人会，是个团结友爱的组织，绝对不会变成什么死酷党……会不会是您搞错了？"麦克默多不可置信地问道。

谢夫特脸色苍白地看着麦克默多，回答道："这里的人每天都生活在死酷党的威胁下，我怎么可能弄错？麦克默多先生，既然你是死酷党的一员，我恐怕不能允许你继续住在这里了，更不可能把伊蒂交给你。请你明早就搬走吧，以后再也不要和伊蒂见面了。”

麦克默多**失魂落魄**地走出谢夫特的房间。伊蒂在走廊上惊讶地看着他，问道：“麦克默多，你怎么这么晚还没睡呀？”

麦克默多扶着伊蒂进屋坐在壁炉边，痛苦地把刚才发生的事说了一遍。伊蒂捂着嘴巴惊呼道：“所以，你明天就要离开了吗？”

麦克默多艰难地点了点头。伊蒂乌黑的大眼睛顿时湿润起来，眼圈也红了。突然，麦克默多扑通一声跪了下去，激动地抓住伊蒂的手说：“伊蒂，跟我在一起吧。尽管我们才认识不久，但我已经不能没有你了！”

伊蒂也紧紧地握住心上人的手，内心剧烈起伏。她声音颤抖地说：“哦，麦克默多……你不知道鲍德温和那些死酷党人……有多可怕。要是我答应了你，他们绝对不会放过我们，而且还会连累我父亲的！你想和我在一起，除非……”

“除非什么？”

“除非带上我和父亲，我们三个一起**远走高飞**，永远离开山谷。”

然而，麦克默多却**坚定地**摇了摇头，说：“不，伊蒂，我们不能走。要是我们从这里逃走，不就显得是我们怕了那群坏人吗？我不想一辈子做个胆小鬼，永远抬不起头。我们就留在这里，好吗？那个鲍德温，我对付得了。请你相信我！”

伊蒂呜咽着说：“不，你根本不知道鲍德温有多可怕……”

麦克默多自信地笑了笑，说：“亲爱的伊蒂，你以后就会发现，对付那些坏人，我能比他们还可怕十倍呢。”

就在这时，**砰的一声**，公寓的大门被人一脚踢开了。

一个衣着华丽的年轻人走了进来。他的年龄和身材跟麦克默多差不多。他戴着一顶大毡帽，长着一个鹰钩鼻，两只凶恶的眼睛狠狠地瞪着壁炉边的麦克默多和伊蒂。伊蒂看见他的脸，浑身颤抖了一下，连忙擦干眼泪，站了起来，说：“鲍德温先生，你怎么来了？”

鲍德温不理伊蒂，径直朝麦克默多走了过去，蛮横地问道：“你小子是什么人，敢和伊蒂坐在一起？”

麦克默多瞪着他说：“伊蒂还没答应嫁给任何人，我为什么不能和她坐在一起？”

鲍德温两眼冒火，**怒气冲冲**地说：“好啊，你还敢顶撞我！”

突然，他撩起衣袖，露出了胳膊上一个古怪的**图案**——一个圆圈里面套着一个三角形，像是用烙铁印上去的。他问麦克默多：“小子，你知道这是什么吗？”

麦克默多摇了摇头。鲍德温得意地怪笑了两声：“哼哼，无知的毛头小子，你活不了几天了！还有你，伊蒂，等他死了之后，你要跪着来向我求饶！到时候，哼哼，也许我会放过你父亲。咱们走着瞧吧！”放下这些狠话，鲍德温砰的一声摔门走了。

拜见老大

伊蒂脸色煞白，一把抱住了麦克默多，说："你快逃吧！那个图案是**死酷党人**的标记，他一定会派手下来对付你……今晚就逃，逃得远远的，再也不要回来！"

麦克默多温柔地扶住了伊蒂的肩膀，安慰道："亲爱的，我无论如何也不会离开你的。别怕，我还有一个办法。"

"什么办法？"

"你忘了吗？我也是自由人会的一员。之前有人提醒过我，遇到麻烦就去联合会馆找老大麦金蒂。鲍德温毕竟只是一个小头领，只要老大愿意帮忙，他就不敢再来找我们的麻烦。"

"可是……"伊蒂迟疑地问道，"你怎么知道麦金蒂会不会帮忙呢？"

麦克默多拍着胸脯说："我会用我的实力说服他。伊蒂，你在这里等我的**好消息**吧。我现在就去联合会馆。"

事实上，麦克默多还不知道这位老大是一个什么样的人物。他在这一带很有威信。整个山谷以及两侧山上的人没有不怕他的。

他不仅拥有一些见不得人的秘密势力，而且还**堂而皇之**地当上了政府的高级官员。那些不法之人希望得到他的庇护，所以在选举时把票都投给了他。这样一来，普通百姓的日子就更难过了。

这些年来，他用各种**非法的手段**，捞了大把的钱。看他的打扮就知道了，他胸前的钻石别针是越来越耀眼了，背心下面露出来的金表链也越来越粗了。

他的联合会馆其实是一个酒吧。酒吧生意火爆，谁都要去捧他的场。

麦克默多推开酒吧的大门，只见到处烟雾弥漫，灯火辉煌，里面挤满了醉醺醺的人。

麦克默多用他那机敏的灰眼睛扫视了一圈，目光锁定在柜台前的一个男人身上。这个人身材高大，**盛气凌人**，皮肤黝黑，长着一脸络腮胡子，蓬乱的黑发长长地披到了衣领上。看他的表情，是一副坦率诚实的样子，好像很好说话。然而，一旦他那双乌黑阴沉的眼睛对准哪个人，就会立刻让

人感到**不寒而栗**，好像那双眼睛里装满了无尽的灾祸。

在这样一个人的身边，围着一群点头哈腰的人。麦克默多一眼就认准了，这人肯定就是麦金蒂。他穿过拥挤的人群，朝那边走去。麦金蒂头一歪，冲他喊道：“喂，年轻人，你是新来的吗？”

麦克默多点了点头。麦金蒂又问：“谁叫你来的？”

“是分会的斯坎伦兄弟指引我来的。我的名字叫麦克默多。”

麦金蒂眯起双眼说：“很好，跟我来。”他离开柜台，领着麦克默多走进了酒吧后面的一间小屋子。在那里，他用锐利的目光盯着小伙子看了半天，突然掏出一把**手枪**，阴沉沉地说：“小子，我接下来的问题，你可要想好了再回答。你是在哪里入会的？”

麦克默多镇定地回答：“芝加哥。”

“什么时候？”

“1872 年 6 月 24 日。”

“为什么离开芝加哥？”

麦克默多犹豫了一下，有些为难地把手伸进口袋，拿出一张报纸递给他。麦金蒂扫了一眼，上面报道的是芝加哥的一起谋杀案。

他挑着眉，斜眼看着对方问道："你杀了报纸上这家伙？"

麦克默多点了点头，回答道："我很擅长**造假币**。在芝加哥的时候，这家伙原本跟我是一伙的。但他后来说要去告发我，我就杀了他，逃到这里来了。"

麦金蒂的眼神闪烁了一下，似乎对他的本事很感兴趣。他好奇地问道："你会造假币？拿个样品给我瞧瞧。"

麦克默多又把手伸进口袋，拿出来的时候，手心里多了六枚闪闪发光的金币。麦金蒂伸出像黑猩猩一样毛茸茸的大手，举起金币对着灯光照了半天，忍不住夸赞道："哇哦，看起来和真的一模一样嘛！麦克默多老弟，你这手艺在我们这里一定能大赚一笔。而且……"他拉着麦克默多的胳膊说："你这小子，面对枪口一点儿也不害怕。**够胆量**！我想，分会的兄弟们会喜欢你的。"

这时，外面突然传来了一阵咚咚咚的敲门声。

冤家路窄

没等里面的人回应，小屋子的门就被推开了。真是冤家路窄，是鲍德温闯了进来。看到麦克默多，他愣了一下，随后愤怒地跳了起来，说：“好啊，你倒是先跑到这里告状来了！麦金蒂先生，你可千万别被他的花言巧语骗了。我今天非打死他不可！”

麦金蒂皱着眉头看了看他们两个。麦克默多从容地把伊蒂的事情解释了一遍。

“原来是这么回事啊。”麦金蒂拍着鲍德温的肩膀说，“算了吧，鲍德温，只是一个女孩而已。如果你的情敌是别的什么人，那我一定帮你出头。但麦克默多是我们的好兄弟，犯不上为了一个姑娘伤了和气嘛。”

鲍德温的脸一下就涨红了。他**狠狠地**盯着麦金蒂说：“什么？你宁可抛弃跟了你五年的老朋友，也要袒护这个新来的小子？我算是看透你了，麦金蒂。你等着，等到下次帮会选举，你还不一定能当上会长呢……”

没等鲍德温说完，麦金蒂突然脸色一沉，像**饿虎扑食**一样猛扑到鲍德温身上，用他的大手死死掐住了鲍德温的脖子，然后一字一句地说：“你以为你能代替我当上会长吗？我告诉你，这纯粹是做梦！我再问一遍，你到底愿不愿意听我的话，和麦克默多**握手言和**？”

“啊……我……我愿意……”鲍德温一边挣扎，一边努力从喉咙里挤出几个字。麦金蒂这才松开了手。**死里逃生**的鲍德温大口大口地喘着气，而麦金蒂却立刻换了一副笑脸。他愉快地取出一瓶香槟酒，倒满三只高脚杯，说：“来，兄弟们，为你们的重归于好干一杯。鲍德温，你现在不记仇了吧？”

鲍德温颤抖着接过美酒，和麦克默多碰了杯，又握了握手。麦金蒂清了清嗓子，说：“好了，麦克默多，虽然你已经是芝加哥分会的会员了，但要正式加入我们的维尔米萨分会，还需要经过一些特殊的考验。周六晚上到这里来，我相信你一定能通过考验，成为我们真正的好兄弟。”

麦克默多点了点头。离开会馆前，他瞥了一眼鲍德温，那家伙的眼里依然写满了仇恨。他知道，他们俩的事还没完，这个人一定会找自己**报复**。

就在这些天，麦克默多搬了家。他在谢夫特家已经住不下去了。恰好斯坎伦要搬来他们镇上，所以两人另外找了一间房合租。这里成了麦克默多铸造假币的基地，经常有分会的兄弟们跑过来参观。每个人离开时，口袋里都装满了沉甸甸的**金币**。

有天晚上，麦克默多正在麦金蒂的酒吧喝酒。那里吵吵嚷嚷的，十分热闹。突然，酒吧的门被人推开了，一名身穿蓝色制服的警察走了进来。大家立刻安静下来。麦金蒂走上前去，眯着眼睛打量了一下警察，问道："我从没见过你，你是新来的吧？"

"没错，我是警察队长马文，刚从芝加哥调过来的，希望能和你们友好相处。"马文和气地看了看麦金蒂。恰巧，他用余光瞥到了正在柜台前喝酒的麦克默多。马文立刻惊讶地睁大了眼睛说："麦克默多，原来你逃到这里来了！"

入会仪式

麦克默多冷冷地盯着马文说："怎么，你要把我抓回芝加哥吗？"

马文摇了摇头，说："芝加哥的案子已经不归我管了。"他的语气里流露出几分嘲讽。"再说了，你杀人的手法非常干净，那么多警察都没找到证据。就算你现在回芝加哥，也没人能逮捕你。"

安静的酒吧又响起一阵喧哗。除了麦金蒂，大家都是第一次知道，麦克默多居然杀过人。

麦克默多满不在乎地耸了耸肩，说："既然你不是来抓我的，那我们也没什么话好说了，马文警官。"

"哼，我**警告**你！如果你以后不好好做人，还想着杀人放火的话，我一定会亲手把你抓起来！"马文狠狠地瞪了麦克默多一眼，转身走出了酒吧。

酒吧里的那帮恶徒，向来崇拜比自己更坏更狠的人。这下，他们对麦克默多更加高看一眼了。

周六晚上，麦克默多准时去参加麦金蒂所说的**入会仪式**。他被捆住双手、蒙住眼睛，带进了一间小屋子。他只听见耳边传来了嘈杂的低语声。过了一会儿，他听见麦金蒂清了清嗓子，说：“黑夜是不愉快的。”

麦克默多立刻回答道：“是的，对旅行的异乡人，黑夜是不愉快的。”

“阴云密布。”

“对，暴风雨即将来临。”

暗号对完了，麦金蒂又说：“现在，我们需要证明你确实是个真正勇敢的男子汉。麦克默多，请往前迈一大步。”

话音刚落，麦克默多就感到有两个尖锐的东西抵住了自己的双眼，恐怕不是锥子就是剪刀。然而，他还是勇敢地往前迈开了腿。就在这一瞬间，他眼睛上的尖锐的东西被移开了，周围响起一阵**热烈的掌声**。周围的人惊呼道：“真是太勇敢了！”“有胆量！”“太棒了！”

麦金蒂冷酷而威严地说：“好，接下来我们要考验你忍受痛苦的能力。”

麦克默多感觉右边的袖子被人卷了起来。突然，胳膊上传来一阵剧烈的刺痛感，痛得他几乎昏了过去。但他咬紧嘴唇，一声也不吭，过了好一会儿他才咬着牙说：“比这更疼的——我也能承受。”

喝彩声再次响了起来。紧接着，麦克默多手上的绳子被人松开了，他的眼前也重现了光明。他低头看了看自己的右胳膊，上面被烙了一个**图案**——一个圆圈里面套着一个三角形，和之前鲍德温胳膊上的图案一模一样。麦金蒂满脸堆笑地走过来，拍着他的肩膀说：“哈哈，很好！好兄弟，维尔米萨分会欢迎你！来，大家一起喝一杯，庆祝新兄弟入会！”“干杯！”“干杯！”

大家吵吵嚷嚷地喝了不少的酒。**酒足饭饱**后，麦金蒂清了清嗓子，从怀里掏出一封信，说：“兄弟们，这是我们今天要分配的**第一个任务**。隔壁县区的分会长想让我们派两个兄弟过去，帮他铲除一个碍事的煤矿主。谁愿意去？”

麦金蒂话音刚落，几个年轻人唰唰唰地举起了手。麦克默多也跟着举手。麦金蒂露出欣慰的笑容，但对他摇了摇头，说：“麦克默多兄弟，我还有其他的任务要交给你，这件事就先让别的兄弟去做吧。”

残暴的任务

麦金蒂选中了两个年轻人。紧接着，他又从桌子上拿起一份报纸，说："第二件事，《先驱报》那个叫詹姆斯的记者又在报纸上骂我们了，是不是该给他一个教训？"

几个**杀气腾腾**的年轻人大喊："杀了他！杀了他！"

这时，一个坐在角落里的老人站了起来，吞吞吐吐地说："麦……麦金蒂先生，我认为，我们不应该杀死詹姆斯。他这个人很有名望，如果他出了事，可能全国都会闹得沸沸扬扬，到时候警察和法庭不会放过我们的……"

麦金蒂挑着眉毛冷笑道："哼，警察和法庭都是一帮饭桶，只要贿赂一点儿钱，他们就会帮着我们说话。"

"可是……"

麦金蒂的脸色沉了下来。"莫里斯兄弟，你还有什么要说的吗？"麦金蒂问。

这位叫莫里斯的老人**哆哆嗦嗦**地坐了回去，说："不，没什么，麦金蒂先生。我只是在担心帮会兄弟们的安全……”

麦金蒂的表情缓和了一些，他说：“嗯，莫里斯兄弟虽然胆小，但他说的也不是完全没有道理。这样吧，鲍德温，你带几个兄弟，去报社教训詹姆斯一顿，但千万别杀了他，知道吗？”

鲍德温一脸兴奋地点了点头。麦金蒂好像又想起什么，他补充道：“哦，你把新来的兄弟麦克默多也带上，让他适应一下我们的工作。”

鲍德温狠狠地瞪了麦克默多一眼，不情愿地嗯了一声。

夜晚的天气十分寒冷，一弯新月高挂在夜空中。鲍德温这伙人手里抄着家伙，**大摇大摆**来到了报社。他吩咐麦克默多看门，自己带着剩下的五个人踹开大门，冲了进去。

门里立刻传来一阵**乒乒乓乓**的声音，还有凄惨的求救声：“救命——救命啊——”

不一会儿，一个满头白发、身材消瘦的老人**惊慌失措**地跑了出来。他正是记者詹姆斯。不过，他还没跑到门口，就被鲍德温一脚踢倒在地上。其他人也冲上前去，举起手里的木棍，噼噼啪啪地往老人头上、身上砸去。老人满地打滚，满头的白发很快就被鲜血浸湿了。鲍德温狰狞地笑着，毫不留情地继续挥舞着木棍。麦克默多三步并作两步，一把推开他，**大声呵斥**："鲍德温，你要把他打死了！"

鲍德温愤怒地瞪大眼睛说："你又来碍我的事，滚开，不然我连你一起打！"

麦克默多一步不退，腿像钉在了地上一样。"老大说过了，教训他一顿就行，你打死他，会给我们惹麻烦的！"麦克默多说。

鲍德温**恶狠狠**地盯着麦克默多，猛地朝他举起了手中的木棍。不料，麦克默多迅速把手伸进裤子口袋，掏出了一把手枪。鲍德温顿时僵住了，像根木头一样直愣愣地杵在原地。就在这时，外面的同伙大叫一声："有人来了，快跑！"

果然，外面的街道亮起灯来，人们的喊叫声**此起彼伏**地传来。麦克默多和鲍德温连忙收起自己的武器，跟同伙们一起溜出报社，各自回家去了。

第二天一早，麦克默多从床上醒来，他看到《先驱报》的报纸已经报道了詹姆斯被打的消息。**咚咚咚**！有人敲门，进来的是房东太太，她说：“麦克默多先生，这里有一封给你的信。”他接过来一看，信上是这么写的：

> 亲爱的麦克默多先生：
>
> 我有重要的事情和你商量，但是不方便到你家里来。请到公园的山上找我，我会在旗杆下面等你。

奇怪的是这封信没有署名。不会是个圈套吧？麦克默多犹豫了一阵，最后还是决定到公园去会会这个神秘人。

秘密会面

冬天的山坡上覆盖着层层白雪。麦克默多沿着公园里的山路走了一会儿。在一家饭店的门口，他果然看到了一根光秃秃的**旗杆**。有个人站在旗杆底下，帽子压得低低的，大衣领子竖了起来。他定睛一看，正是那天在帮会里惹恼麦金蒂的老人——莫里斯。

麦克默多大步走上前去。莫里斯看起来非常紧张，他四下张望了一阵，才压低声音说："麦克默多，你向我保证，千万不能把我们的话告诉任何人。"

麦克默多点了点头，说："你放心说吧，莫里斯。"

莫里斯稍微放松了一点，接着长长叹了一口气，说："唉，好兄弟，你在芝加哥加入自由人会的时候，想过它会是这么一个**邪恶的组织**吗？"

麦克默多挑起眉毛，默不作声地看着莫里斯。老人突然用手捂住脸，痛苦地哭诉起来："我入会的时候……完全不知道这回事。我是在费城入会的，那里的自由人会纯粹是个朋友聚会的地方。后来我鬼迷心窍，跑到这个山谷开了个店。谁能想到啊，这里被那群无恶不作的恐怖分子控制着，简直就是一个**恐怖的山谷**！我不得不跟着他们一起抢劫、偷盗，干下各种坏事……我也想过脱离帮会，但我知道，他们不光会杀了我，连我的妻子和儿女也不会放过。”

莫里斯越说越激动，浑身颤抖个不停：“麦克默多，任何一个正派的人都不会想加入这样一个邪恶的组织！你是个年轻人，趁着还没干什么**不可饶恕**的坏事，赶快退出组织，离开这里吧！”

麦克默多冷冷地看着激动的莫里斯说：“你叫我过来，就是为了劝我离开？那是不可能的，莫里斯。”

莫里斯用哀伤的眼神看着他，难过地又叹了一口气。麦克默多拍了拍他的肩膀，说：“依我看，你就是性格太软弱了，不适合在帮会里混。你赶紧收拾东西，带着家人逃走吧。放心，我不会向麦金蒂先生告密的。”

麦克默多转身要走，却又被莫里斯叫住了：“等等，我还有一件事**叮嘱你**。”

“什么事？”

“麦金蒂肯定会知道我们见面了。如果他来问你，你就说，我想请你到我的店里做书记员。”

“我知道了。莫里斯兄弟，再见。”

麦克默多回到家里。过了一会儿，大门砰的一声被人撞开了。果不其然，是麦金蒂来了。他简单地寒暄了几句，就直奔主题，问起了他和莫里斯在外面见面的事情。麦克默多从容地回答道：“莫里斯请我去他店里做工，但是被我拒绝了。”

麦金蒂的笑容有些阴沉：“你为什么拒绝呢？”

“我在家里造假币，挣得比他给的工钱多多了。”

“莫里斯没和你说什么别的？”

麦克默多歪着头反问道：“没有。麦金蒂先生，你觉得他会说什么别的呢？”

麦金蒂在麦克默多对面的椅子上坐了下来，翘着二郎腿说：“这个嘛……比如一些不满帮会、不满我的话，他一句也没说？”

麦克默多摇了摇头。麦金蒂似乎对这个结果很满意，他笑着说：“哈哈，那说明他还不信任你。麦克默多兄弟，我得提醒你一下，不要和他走得太近。这段时间我一直在观察他，种种迹象表明，他早就不是一个忠诚的兄弟了。”

“我会记住的。不过，麦金蒂先生，你是怎么知道我和他见过面的？”

麦金蒂咧着嘴说：“哈哈哈，这个镇上发生的所有事情，都逃不过我的眼睛。好了，既然你愿意接受我的忠告，那我就不多留了……”话没说完，大门又砰的一声被撞开了。这回闯进来的，是三名穿制服的警察。麦克默多一下跳了起来，然而在他拔出手枪之前，两支步枪的枪口已经齐刷刷地对准了他。队长马文冷笑着向他走来，说：“麦克默多，你被捕了，现在跟我们去警察局吧。”

麦克默多面无表情地站了起来，问：“马文队长，我犯了什么罪？”

“你昨晚在报社殴打了《先驱报》的记者詹姆斯，怎么，敢做却不敢承认吗？”

“啊，这一定是个误会。”麦金蒂往前走了一步说，“马文队长，我和十几个朋友都可以做证，他昨晚一直在我的酒吧里喝酒和打牌呢。”

马文哼了一声，不以为然地说：“麦金蒂先生，你那些证词还是留到法庭上去说吧。现在，谁也不能阻止我逮捕这个罪犯。”

麦克默多被警察戴上了**手铐**，押解着走出酒吧大门。就在跟麦金蒂擦肩而过时，他听见麦金蒂压低了声音说：“别担心，兄弟，我会让你在法庭上无罪释放的。”

六个月的约定

当然了，这次被抓的不只是麦克默多。当时一起闯进报社的那几个人都被逮捕了。但是，死酷党人**手眼通天**，连看守监狱的人都被他们买通了。被关进牢房的几个人，有酒喝，有牌打，就像在外面一样狂欢作乐。

麦金蒂还请了一个能干的律师，对证人们**威逼利诱**，吓得他们不敢说真话。最后，法庭没有足够的证据，没法给他们定罪。法官还把抓人的马文队长训斥了一顿，怪他多管闲事。

这场官司在镇上闹得**沸沸扬扬**，老谢夫特也知道了。这下，他更加认定麦克默多就是死酷党里的一个恶棍，气得浑身发抖，警告女儿再也不许跟麦克默多来往。

可怜的伊蒂难过极了，整晚都没合眼。第二天一早，她急匆匆地跑到麦克默多家，想劝他改邪归正。透过窗户，她看到麦克默多坐在桌前，面前放着一封信。伊蒂轻手轻脚地推开门，走到他身后，把手搭在他的肩膀上。谁知，麦克默多像只**猛虎**似的一跃而起，左手把信揉成一团，右手凶狠地掐住了伊蒂的脖子。

“啊——”伊蒂吓得尖叫了起来。麦克默多这才看清来者是谁，慌忙松开手，关切地问道：“噢，伊蒂，伊蒂，你没事吧？”

伊蒂好一会儿才缓过神来，心脏还在**怦怦乱跳**。她担忧地问：“你到底有什么事瞒着我？那封信里写了什么？”

麦克默多不自然地笑了笑，把手里的信攥得更紧了。他说：“没什么，伊蒂。实在对不起，我发过誓，绝不把这封信给任何人看。”

伊蒂的脸上更加阴云密布了，她忧虑地说：“肯定又是关于死酷党的坏事吧……噢，麦克默多，你为什么要跟那些坏人搅在一起？你就不能离开那些罪犯吗？”

麦克默多叹了一口气，说：“唉，你觉得死酷党会让我离开吗？他们绝对不会放过任何一个背叛者！”

伊蒂的眼泪**扑簌扑簌**地流了下来，她哭着说：“听我说……我父亲这些年存了不少钱，我们早就想离开这个恐怖谷了。你和我们一起走吧，逃到他们找不到的地方，到国外去也行……求求你了，麦克默多！”

麦克默多伸出手，温柔地帮伊蒂擦掉眼泪。“好吧，伊蒂，我答应你。只是你要给我六个月的时间。六个月后，我一定平平安安地带着你们离开。”麦克默多说。

伊蒂抓着麦克默多的胳膊，眼里露出微弱的希望的光芒，说：“真的吗？你保证？”

“我保证，只要六个月。”麦克默多坚定地点了点头。伊蒂这才**破涕为笑**。

不久之后，麦克默多又接到了新的任务。邻镇的分会长派来两个杀手，要在维尔米萨镇执行一项暗杀行动。麦金蒂安排他们住在麦克默多家里。麦克默多很好奇，杀手的目标会是谁呢？可那两个家伙**守口如瓶**，一句也不肯透露。这天早晨，麦克默多拉上同屋的斯坎伦悄悄跟踪了两个杀手。

只见两个杀手走进一座矿场。矿场的经理是个高大的年轻人。他刚一露面，杀手就毫不犹豫地拔出手枪，一枪把他打死了。院子里的矿工们被吓得目瞪口呆。有人率先反应过来，想冲上前去帮忙。砰砰砰！杀手又连开几枪。工人们尖叫着乱成一团。

麦克默多和斯坎伦也赶紧离开矿场。在回家的路上，斯坎伦浑身发抖地说道：“天……天哪，这两个家伙简直是恶魔！麦克默多，万一哪天我们也被派去杀人，这可怎么办啊？”

麦克默多沉默了一会儿，拍拍斯坎伦的肩膀说：“真到那时候，恐怕我们**别无选择**啊。”

这件事过去没多久，麦金蒂把麦克默多叫了过去，真的派给他一项暗杀的任务。

秘密情报

麦金蒂乌黑的眼睛里闪着阴沉的寒光，他恶狠狠地说："我们这次要除掉的这个家伙叫切斯特，也是一个矿场经理。他以前当过兵，枪法很好，戒备心很重。我们曾经两次想除掉他，都没有成功，还损失了一个兄弟。麦克默多，我要你准备一包**炸药**，埋在他家附近，趁夜把他全家都炸死。明白了吗？"

麦克默多迟疑了一下，说："连孩子也不放过吗？"

麦金蒂用锐利的目光盯着他说："怎么，你下不了手？"

"没有。只要给我两天时间，了解一下他家周围的环境，我保证能**完成任务**。"

麦金蒂满意地点点头，给麦克默多派了两个手下。第三天夜里，他们带着炸药和武器在切斯特家附近碰头。夜里的风呼呼地刮着，麦克默多在门外挖了一个小洞，**小心翼翼**地把炸药埋了进去，之后走到远处，点燃了长长的引线。

轰隆！伴随着火光和爆炸声，切斯特家的房子轰然倒塌，变成了一堆碎砖烂瓦。可是，当麦克默多他们回到废墟里检查尸体时，却什么也没找到。麦克默多垂头丧气地回到酒吧，向麦金蒂报告："唉，这个切斯特一定是听说了最近发生的凶案，所以提前带着家人逃走了。但你放心，他跑不掉的！我会找到其他办法除掉他。"

麦金蒂起初有点儿怀疑，不过，几个星期后，就有报纸报道了切斯特被人暗杀的消息。麦金蒂这才放下心来。从此以后，他对这个新来的小伙子完全放心了。他把帮会里许多重要的事情都交给麦克默多来做。

在这个漫长的冬天，维尔米萨山谷始终被死酷党人的乌云笼罩着。他们干尽了坏事，肆无忌惮地残害百姓，甚至杀害了两名警察。好不容易熬到春天，河上的冰融化了，草木开始发芽。可是，对于那些生活在恐惧中的无辜百姓来说，冬天似乎漫长得永远没有尽头。

到了夏天，麦克默多几乎已经成了维尔米萨地区死酷党的第二号人物。帮会里的兄弟想做点什么，都要征求他的意见。5 月的一个星期六，麦克默多正要去参加死酷党人的聚会，突然，那个曾经劝他脱离帮会的莫里斯闯进了他家。老人眉头紧锁，愁容满面。

“麦克默多先生，我知道了一个**天大的秘密**……我犹豫了很久，还是决定告诉你。”

“什么秘密？”

莫里斯深吸了一口气，说：“有个侦探正在调查我们帮会。”

麦克默多先是一愣，但很快就放松下来，**不以为意**地撇了撇嘴，说：“我们连警察和法庭都不怕，还怕什么侦探？”

莫里斯激动地摇了摇头，说：“不！这不一样。你听说过平克顿侦探社吗？它在全国都很有名。听说整个美国还没有他们搞不定的案子。”

麦克默多的眉头拧了起来，他说：“我的确听说过这个侦探社。他们派了多少侦探过来？都叫什么名字？你是怎么知道的？”

莫里斯颤抖着从口袋里掏出**一封信**，说：“我……我有个朋友在电报局工作。他听到了一些风声，所以写信过来警告我。”

麦克默多低头扫了一眼，信的大意是说：平克顿侦探社已经派出了一名非常厉害的侦探，到维尔米萨山谷来调查死酷党的情况。这位侦探的名字叫——爱德华。

麦克默多捏着这封信，像一座石雕似的愣了很久，最后他才轻声问道："莫里斯，这个消息还有别人知道吗？"

"我……我不敢告诉其他人，只找了你。"

"很好。"麦克默多面无表情地点了点头。"我会**处理好**这件事的。你绝对不要再把这个消息告诉任何人，否则你自己会有危险。知道了吗？"麦克默多叮嘱道。

莫里斯像小鸡啄米似的连连点头说："好的，好的！对了，麦克默多先生，你们不会……不会杀掉这位侦探吧？"

麦克默多冷酷地笑了一下，说："是他自己撞到枪口上来的，如果丢了性命，既不能怪我，也不能怪你。"

侦探爱德华

麦克默多送走了莫里斯，又在椅子上坐了一会儿，似乎在思考着什么**计划**。接着，他穿上外套匆匆出门，来到了谢夫特家门口。自从上回法庭审判之后，谢夫特就再也不让他进家门了。麦克默多走到窗前，敲了两下窗玻璃。伊蒂惊喜地跑了出来。

但她看见心上人严肃的表情，脸上的笑容慢慢消失了。她紧张地问道："发生什么了？出大事了，是不是？"

麦克默多点了点头，说："伊蒂，你听我说，这里很快会变得更**不安全**了。我打算过几天就离开这里，到时我会叫人给你捎信，你一接到我的信，就立刻赶到火车站去。我们一起走，好吗？"

伊蒂有些犹豫，可是，看着麦克默多焦急担忧的表情，她马上就心软了。她温柔地说："好吧，麦克默多。无论什么时候，只要你的消息一来，我就立刻跟你走。"

麦克默多长长地舒了一口气。他告别了伊蒂，前往麦金蒂的酒吧。帮会的兄弟们看见他来了，都热烈地欢呼起来。麦克默多高高举起右手，把所有人的声音都压了下去。他威严地说："兄弟们，我有一个**重大的消息**要告诉大家！"

他从怀里掏出莫里斯的那封信，说："我今天收到了一封信，信里说，大名鼎鼎的平克顿侦探社派了一个大侦探来查我们，他的名字叫爱德华。现在，他正在搜集对我们不利的证据，打算把我们所有人都送进牢房！"

屋子里顿时**鸦雀无声**。过了好一会儿，麦金蒂低沉地问道："有哪位兄弟认识这个爱德华吗？"

一个年纪比较大的人站起来，说："我听说过他，他是平克顿侦探社里最厉害的一个。"

麦克默多也站了起来，镇定地说道："我想，我可能见过他。"

"哦？他长什么样子？"

麦克默多环顾了一下四周，说："请原谅，麦金蒂先生，我认为这么**重要的情报**，不方便在大会上讨论。麻烦你找几位信得过的兄弟，我们一起商量一下吧。"

麦金蒂毫不犹豫地采纳了他的意见，点名留下了鲍德温和另外五个重要人物，其他人则被打发回家去了。

“麦克默多，你现在可以说了吧？”

麦克默多清了清嗓子，说：“我刚才说自己认识爱德华，其实，我只是之前见过一个**可疑的家伙**而已。那天我在车上遇到一个人，他说自己名叫威尔逊，是个报社记者。他想采访我，了解关于死酷党的情况，还说愿意为这些情报付钱。当然，我只是用假消息敷衍了他。”

麦金蒂皱起眉头，问：“那你为什么觉得他不是记者，而是侦探爱德华呢？”

“后来，我跟踪了他一段路，看见他走进了一家电报局。等他出来后，我进去打探了一下。听那里的电报员说，这个威尔逊每天都会来发一封电报，上面的内容都是加密的，谁也看不懂。你想想，哪个报社记者会每天都发一封**加密电报**出去？当时我没把这事放在心上，今天一听说侦探的消息，我就知道，那家伙应该就是侦探爱德华。”

麦金蒂赞赏地点了点头，说：“不错不错，你的观察力救了大家一命啊！你说说看，现在我们该怎么对付这个侦探呢？”

有人腾地站了起来，说：“直接把他除掉不就好了？”

麦克默多皱着眉摇了摇头，说：“我只知道他住在霍布森小巷，但并不知道具体地址。不过大家别着急，我已经想到了一个**完美的计划**。”

诱鱼上钩

“什么计划？”大家期待地看着麦克默多。

“明天一早，我一个人去找到那个电报局的电报员，让他告诉爱德华，有一个死酷党的成员，愿意把帮会的秘密卖给他。我会引诱他明天晚上去我家拿情报。大家提前在我家里**埋伏好**，等他一进门，就把他抓起来。这样，我们还怕摸不清他的底细吗？”

麦金蒂拍了拍手，说：“是个好主意！不过，大晚上的让他过来交易，这个狡猾的侦探不会**起疑心**吗？”

麦克默多自信地笑了笑，说：“我早就想好理由了，就说死酷党耳目众多，白天交易很容易被发现，只能晚上见面。”

麦金蒂满意地点了点头，说：“这个理由不错，那我们明天就动手吧。”

第二天，麦克默多起了个大早，直奔**电报局**。中午十二点左右，他带着胜利的神情回到了酒吧。麦金蒂已经在那里等了半天，一见他回来，就着急地问："怎么样？他上钩了吗？"

"绝对没问题。这家伙满脑子都是死酷党的情报，根本没想过自己会中计。他听说我有情报，二话不说就给了我一大笔钱，你看。"

麦克默多从怀里拿出一沓厚厚的钞票，咧嘴笑了。麦金蒂也跟着大笑起来："哈哈，那真是太好了！你和他约好见面时间了吗？"

麦克默多点了点头说："他**晚上十点**过来，到时敲三下门作为暗号。我们的人晚上九点先过去，提前在我家埋伏。不过，我担心这家伙手里有枪，到时候大家开起枪来，我们的人有可能会被伤到。"

麦金蒂的表情也严肃起来，说道："是啊，而且枪声有可能会招来那些该死的警察。"

"所以……我打算这样安排。兄弟们先**藏在卧室里**，等侦探来了，我把他请进客厅，拿一份假情报给他。然后，趁他看情报的时候，我跳到他面前紧紧抓住他的手，让他开不了枪。到时候，兄弟们听到我的喊声，就可以一拥而上，把他抓住。"

麦金蒂用力拍了拍麦克默多的肩膀，说：“你想得很周全！麦克默多，我越来越欣赏你的智慧了！等这件事过去之后，兄弟们一定要好好谢谢你。”

麦克默多不好意思地笑了笑，说：“没什么，大家都是好兄弟嘛。既然没别的事，我就先回家了。”

麦克默多回到家，把房间仔细检查了一遍。斯坎伦听说他们准备在这里除掉侦探，吓得两腿发软，立刻像兔子一样躲了出去。

屋里只剩麦克默多一个人了。他坐在桌前，把**手枪**拆开擦了一遍，在弹匣里装满子弹，然后静静地等待着太阳落山。

晚上九点，麦金蒂带着六个手下赶了过来，躲进卧室里。除了鲍德温，其他家伙也一样**心狠手辣**、杀人不眨眼。麦克默多拿出几瓶酒，大家高兴地喝了起来。时间一分一秒地过去，眼看约定的时间就要到了，有人着急起来：“这个爱德华，会不会是突然害怕，不敢来了？”

麦克默多十分笃定地摇了摇头，说：“不，他一定会来的。”

话音刚落，外面就传来了清晰的敲门声：**咚咚咚**！总共三下。麦克默多一跃而起，飞快地把手指竖在嘴边，轻声说：

“嘘！谁也别说话，我先出去对付他。等我喊话，你们再过来帮忙。”

七个死酷党人都乖乖点了点头。麦克默多**轻手轻脚**地关上卧室门，走了出去。其他人躲在卧室里，只听门外响起了一阵脚步声，接着是陌生人的说话声，还有钥匙锁门的声音。

一定是爱德华**上当**了！“哈哈！”有个家伙忍不住兴奋地偷笑了一下。麦金蒂一把捂住他的嘴巴，低声斥责道：“笨蛋，别出声，你想坏我们的事吗？”

瓮中捉鳖

麦金蒂带着手下们在卧室里躲了好一会儿。门外除了小声交谈的声音，一直没什么别的动静。眼看大家都要失去耐心了，突然，吱呀一声，卧室的门开了。麦克默多从容不迫地走了进来，一双眼睛透过眼镜的镜片，射出激动的光彩。

麦金蒂连忙问："怎么样？爱德华来了吗？"

麦克默多的嘴角浮现出一丝微笑。"当然来了。"他说。

麦金蒂两眼发光地问："他在哪里？外面的客厅吗？"

麦克默多却摇了摇头。正当所有人疑惑不已的时候，麦克默多吐出了一句石破天惊的话："他就在你们面前！我就是爱德华，来自平克顿侦探社的爱德华。"

一瞬间，所有人都面色惨白，安静得像死了一样。只有烧水壶还在吱吱地叫着，不停地往外冒着白汽。七个死酷党人呆呆地盯着麦克默多。这时，哗啦一声，窗外传来一阵玻璃破碎的声音，一支支冰冷的枪伸了进来。

麦金蒂这才意识到，他们被**包围**了！他像受伤的猛兽一样咆哮着，愤怒地冲向卧室的大门。然而，还有一把手枪在门口等着他。握枪的正是警察队长马文。麦金蒂**走投无路**，一步步退到了同伙们旁边。

麦克默多高高昂起头，大声喊道："各位，放下武器投降吧！这间屋子已经被四十名全副武装的警察包围了！"

面对那么多黑洞洞的枪口，屋里的死酷党人只好绝望地扔下了武器。麦金蒂用仇恨的眼神死死盯着麦克默多，仿佛恨不得扑上去咬他。麦克默多——不，现在应该叫爱德华了，他只是轻松地笑了笑："我知道，你们不从我这里听到解释，是不会服气的。那我就从最开始说起吧。你们死酷党人实在是罪孽深重，知道有多少人对你们**恨之入骨**吗？有人找到了平克顿侦探社，所以，我来了。为了打入你们内部，我先在芝加哥加入了自由人会，之后就来了这里。你们看我会造假币，还杀过人，哈哈，那都是假的！我还装出一副特别讨厌警察的样子，哼哼，我知道，只有这样才会取得你们的信任。"

麦金蒂脸色阴沉，看起来恐怖极了。"那你又是怎么弄到那些假币的？"他问。

“哦，麦金蒂先生，你一定不敢相信吧？我分给大家的，其实全是真正的金币。”爱德华狡黠地眨了眨眼说，“这样花钱确实是有些浪费，不过，金币帮我更快赢得了你们的好感。”

麦金蒂震惊得浑身一颤。爱德华继续说：“最开始，你让我跟鲍德温去教训报社的詹姆斯，我阻止了鲍德温下狠手杀他。后来，你派我用炸药炸死切斯特，我提前一天通知他，让他带着家人逃走了。”

麦金蒂咬牙切齿地问：“所以，后来报纸上说他被人暗杀了，这也是假消息？”

爱德华微笑着点了点头，说：“我在你手下做事这几个月，尽可能地保护了一些无辜的人。但有些人实在救不了，我也无能为力。唉——”

麦金蒂又眯起眼睛，看向警察队长马文：“所以，你们两个也早就串通一气了？”

爱德华忍不住又笑了：“哈哈哈，马文队长一直是我的伙伴。从我来到维尔米萨的第一天起，他就知道我的真实身份了。之前他装作和我过不去的样子，都是演给你们看的。”

麦金蒂气得浑身发抖。他吼道：“你……你这个内奸，亏我还那么信任你……”

“多亏了你的信任，麦金蒂先生。现在，我已经掌握了你们犯罪的**大量证据**。哼哼，这些证据足够把你们送进大牢！”

马文把屋里的死酷党人全都抓了起来。后来，根据爱德华提供的线索，他们又抓了五十多个坏蛋。麦金蒂**毋庸置疑**地被判了死刑，其他帮会成员也都得到了应有的惩罚。维尔米萨山谷的死酷党终于被铲除了。恐怖谷的乌云散去，无辜的人们总算看到了久违的阳光。

更可怕的魔爪

爱德华带着伊蒂一家搬到了芝加哥，在那里举行了婚礼。可是，残余的死酷党人对他恨之入骨，发誓一定要将他碎尸万段。几年后，当年的死对头鲍德温从监狱里出来了。爱德华为了躲避他的追杀，**改名换姓**，多次搬家。在这期间，他美丽的妻子伊蒂不幸生病去世了。爱德华灰心丧气，改名叫道格拉斯，然后来到了英国。在英国，他遇到了现在的妻子。他们一起搬到伯尔斯通隐居起来。这之后发生的，就是福尔摩斯和华生亲眼见证的谜案。

道格拉斯的案件开庭了。正如福尔摩斯预料的那样，法庭认定道格拉斯的行为属于正当防卫。道格拉斯被无罪释放了。可福尔摩斯还是非常担心，他反复叮嘱道格拉斯夫妇尽快离开英国，否则还会遇到**新的危险**。

转眼两个月过去了。一天早上，华生在信箱里发现了一封奇怪的信，他一头雾水地拿给福尔摩斯，说："你看，这信是怎么回事啊？有人在和我们开玩笑吗？"

福尔摩斯拿过来一看，信上只写了一句话："天哪，福尔摩斯先生，天哪！"

福尔摩斯眉头紧锁，他说："华生，如果我的预感没错的话，一定是有坏事发生了。"

就在这天晚上，一位熟悉的朋友来到贝克街，他就是道格拉斯的好朋友巴克先生。他看起来面色憔悴，十分悲痛。

"福尔摩斯先生，我有一个**可怕的消息**要告诉你。"巴克说。

福尔摩斯立刻坐直了身体，神情凝重地说："你说吧，巴克先生，看看是不是和我想的一样。"

巴克停顿了一下，哀伤地说："三个星期前，道格拉斯先生和夫人一起乘船去南非。就在今天上午，我收到了道格拉斯夫人的电报。她说，道格拉斯先生在风暴中掉进海里，不幸**遇难**了。”

福尔摩斯脸色发白，长长地叹了一口气，说：“唉——果然是这样！我就知道，他不会放过道格拉斯先生的。”

巴克激动地说：“你是说……道格拉斯先生是被人害死的？我知道了，一定又是那帮死酷党人。我……我要去找他们报仇！”

福尔摩斯缓缓地摇了摇头，说：“不，不是死酷党人。死酷党人是一群鲁莽的家伙，但害死道格拉斯先生的人却很狡诈，能把谋杀案伪装成**一场意外**。”

“那……那家伙究竟是谁？”

“我们最大的对手，莫里亚蒂教授。”

华生忍不住叫了起来：“莫里亚蒂教授？又是他干的好事！可是……福尔摩斯，你又是怎么知道的？”

“华生，你还记得我们最早是怎么得知道格拉斯先生有危险的吗？”

“啊，我想起来了，是通过波尔洛克的**密码信**。”

福尔摩斯点了点头，说：“波尔洛克一直在监视莫里亚蒂教授，他给我们发出警告，就说明道格拉斯已经被莫里亚蒂教授盯上了。或许是残余的死酷党人找到莫里亚蒂教授，让他帮忙复仇吧。”

福尔摩斯语气沉重地说：“就因为莫里亚蒂教授太危险了，我才催促道格拉斯先生赶快离开英国，没想到……他最后还是没逃出那家伙的**魔爪**。”

巴克愤怒地握紧了拳头，说：“可恶！难道我们就没有办法对付这个大坏蛋吗？”

福尔摩斯抬起眼睛，悠悠地望向窗外的天空。“巴克先生，耐心一点，不要着急。**正义最终会打败邪恶**，就像阳光终会穿透乌云。只是有时候，我们需要一点时间。”福尔摩斯说。

大侦探

福尔摩斯

图书在版编目（CIP）数据

大侦探福尔摩斯．恐怖谷／（英）柯南·道尔（Arthur Conan Doyle）著；喵博士改编．一南京：译林出版社，2022.4（2022.6重印）
ISBN 978-7-5447-8995-0

Ⅰ.①大…　Ⅱ.①柯…　②喵…　Ⅲ.①侦探小说－英国－现代　Ⅳ.①I561.45

中国版本图书馆CIP数据核字（2021）第 260741 号

大侦探福尔摩斯：恐怖谷［英国］柯南·道尔 ／ 著
喵博士 ／ 改编

策　　划　彭　波　龚文宇
本册撰写　何　敏　冯　帆　陈自萍
责任编辑　朱旭玲
装帧设计　宸唐工作室
校　　对　蒋　燕
插　　图　妙象童画
责任印制　颜　亮

出版发行　译林出版社
地　　址　南京市湖南路 1 号 A 楼
邮　　箱　yilin@yilin.com
网　　址　www.yilin.com
市场热线　025-86633278
排　　版　宸唐工作室
印　　刷　南京新世纪联盟印务有限公司
开　　本　890 毫米 × 1240 毫米　1/32
印　　张　4.5
版　　次　2022 年 4 月第 1 版
印　　次　2022 年 6 月第 3 次印刷
书　　号　ISBN 978-7-5447-8995-0
定　　价　28.00 元

SHERLOCK HOLMES